IL NOUS RESTE LES MOTS

Du même auteur

Georges Salines, *L'Indicible de A à Z*, Seuil, 2016.

Georges Salines
Azdyne Amimour

Propos recueillis par Sébastien Boussois

IL NOUS RESTE LES MOTS

Robert
Laffont

ISBN 978-2-221-24320-6
Dépôt légal : janvier 2020

À tous ceux qui sont tombés
sous les balles et sous les bombes,
À tous ceux qui ont survécu
et qui doivent continuer à vivre
avec les séquelles de leurs blessures,
leurs souvenirs traumatiques,
la mémoire de ceux qu'ils aimaient.
Pour que la vie soit plus forte que la terreur.

Georges Salines

À toutes les victimes directes
et indirectes du 13 novembre 2015,
À l'ingratitude pour qu'elle devienne vertu,
À ma famille qui reste et qui résiste.

Azdyne Amimour

« Maintenant que la jeunesse
S'éteint au carreau bleui
Maintenant que la jeunesse
Machinale m'a trahi
Maintenant que la jeunesse
Tu t'en souviens souviens-t'en… »

Louis Aragon
Le Nouveau Crève-cœur

« Demain, dès l'aube, à l'heure
où blanchit la campagne,
Je partirai. Vois-tu, je sais que tu m'attends.
J'irai par la forêt, j'irai par la montagne.
Je ne puis demeurer loin de toi plus longtemps. […]
Et quand j'arriverai, je mettrai sur ta tombe
Un bouquet de houx vert et de bruyère en fleur. »

Victor Hugo
« Demain, dès l'aube… »
Les Contemplations

Avant-propos

Georges Salines a perdu sa fille Lola dans l'attentat du 13 novembre 2015 au Bataclan. Éditrice de livres pour enfants et jeunes adultes, passionnée par son métier, elle consacrait son temps libre à ses amis, à la pratique du roller derby, aux voyages, au dessin et à la musique. Ce soir-là, elle était venue assister au concert des Eagles of Death Metal. Elle avait vingt-huit ans.

Née à Tarbes, elle a grandi en Martinique, puis en Égypte, avant que sa famille ne s'installe à Paris, ville qu'elle aimait par-dessus tout. Après sa disparition, son père, Georges Salines, médecin de santé publique à Paris, a participé à la création de l'association 13onze15 : Fraternité et Vérité, dont il a été le premier président. Il milite aujourd'hui pour la prévention de la radicalisation et la sensibilisation aux mécanismes de basculement dans la violence extrême.

Azdyne Amimour est le père de Samy Amimour, l'un des trois assaillants du Bataclan. D'origine algérienne, il a eu mille vies dans le commerce, le sport et le cinéma. Esprit libre vivant entre la France et la Belgique, il cherche dans le voyage des clés pour comprendre les terribles actes de son fils.

Après avoir entamé une licence de droit à l'université, Samy Amimour s'est radicalisé petit à petit, jusqu'à disparaître en Syrie du jour au lendemain. Revenu en France sans être inquiété, il participe à la prise d'otages du Bataclan qui a coûté la vie à quatre-vingt-dix personnes, dont Lola Salines. Il meurt abattu sur la scène par un commissaire de police, à l'âge de vingt-huit ans. Trois jours après les faits, le domicile familial est perquisitionné et Azdyne Amimour apprendra du procureur lui-même que son fils faisait partie du commando tueur de la salle de concerts.

Comment Samy Amimour a-t-il pu rentrer en France sans être interpellé ? Cela reste un mystère. Son père, qui aurait voulu qu'un tel drame n'arrive jamais, était allé jusqu'en Syrie pour le retrouver. Aujourd'hui, il cherche à comprendre en tissant des liens avec des rescapés et ne désespère pas de retrouver un jour sa petite-fille, aujourd'hui quelque part entre l'Irak et la Syrie. Elle est tout ce qu'il lui reste de ce fils pris dans les nasses de la pieuvre djihadiste.

Comment a-t-on pu en arriver à une telle horreur ? La nuit du 13 novembre 2015, les attentats du Bataclan, du Stade de France et des terrasses de l'Est parisien ont endeuillé des dizaines de familles et bouleversé le monde entier : 131 morts et plusieurs centaines de blessés.

Après cette nuit terroriste, la pire de l'histoire du pays, beaucoup de proches, de parents meurtris, se sont exprimés sur leur terrible douleur. Jusqu'ici, ce sont essentiellement des femmes, des mères de djihadistes, qui ont fait entendre leurs voix pour témoigner et tenter de prévenir de nouvelles catastrophes, mais peu de pères ont parlé. Encore moins deux pères que tout devrait opposer : le père d'une victime du Bataclan et celui de l'un des assaillants.

Georges Salines et Azdyne Amimour se sont rencontrés pour la première fois en février 2017, à l'initiative d'Azdyne Amimour. En septembre 2018, le projet d'un livre d'entretiens voyait le jour.

Au cours des nombreuses entrevues qui les ont réunis, des points éminemment douloureux ont été abordés. Tragédie familiale pour les deux pères, les attentats du 13 novembre 2015 sont aussi un drame national et international. Certains propos de ce livre portent donc une charge émotionnelle forte pouvant résonner avec le vécu de chacun. Qu'il s'inscrive dans la cordialité ou quelquefois dans le désaccord, le tête-à-tête s'est toujours tenu dans une écoute attentive de l'autre et dans un profond respect mutuel.

Cet ouvrage dessine la carte des paroles qu'ont pu échanger, avec courage et détermination, Georges Salines et Azdyne Amimour, il convient de ne pas les extraire de leur contexte. Par le dialogue, c'est ensemble qu'ils ont cherché à comprendre pour prévenir, au-delà de la haine.

Prologue

Georges Salines (GS) : J'ai rencontré Azdyne Amimour avant que naisse ce projet de livre. Il m'a demandé un rendez-vous en février 2017, alors que j'étais président de l'association 13onze15 : Fraternité et Vérité, qui réunit des victimes et des prochcs de victimes des attaques du 13 novembre 2015. J'avoue avoir été perplexe au départ. Je lui ai demandé de préciser l'objet du rendez-vous et il m'a répondu : « Je souhaite m'entretenir avec vous à propos de cet événement tragique, car je me sens aussi victime concernant mon fils. » Cette brève réponse a suscité en moi des réflexions contradictoires.

Je comprenais que cet homme puisse se sentir victime. Quelques mois auparavant, en avril 2016, j'avais assisté à un colloque organisé par la fondation Quilliam. Ce *think tank* britannique, créé par Maajid Nawaz, islamiste repenti, se consacre au « contre-extrémisme », et plus spécifiquement à la lutte contre l'islamisme politique et le djihadisme. Cet événement rassemblait de nombreuses associations européennes autour du concept « FATE » (Families

Against Terrorism and Extremism). Ce qui m'avait alors particulièrement marqué avait été la rencontre avec des mères de djihadistes. J'en ai été tellement impressionné que je leur ai consacré une entrée dans mon livre *L'Indicible de A à Z :* « Ces femmes ont perdu leur enfant de son vivant. Elles l'ont vu se transformer en une personne qu'elles ne reconnaissaient plus. [...] Elles portent en outre le poids d'une culpabilité terrible. Pourtant, beaucoup n'ont rien fait qui corresponde aux clichés. Elles ont été des mères qui ont aimé leur enfant et qui ont essayé de faire de leur mieux pour l'élever : ni maltraitantes, ni abusives, ni absentes. Elles s'efforcent de protéger les frères et sœurs qui restent, qui ne comprennent pas, qui, pour les plus petits, sont parfois effrayés lorsque la police vient perquisitionner l'appartement familial. Beaucoup se battent contre le terrorisme au sein d'associations[1]. »

Le mot « victime » appliqué aux parents de djihadistes ne me choquait donc pas. Dans *L'Indicible*, je l'avais même utilisé pour les meurtriers de ma fille, expliquant pourquoi je n'éprouvais pas de haine à leur égard. Victimes de leur propre folie, victimes de leurs recruteurs, mais victimes ayant consenti à exécuter un crime terrible, donc coupables. Ils restent en tout état de cause des victimes qui ont perdu leur vie en prenant celle des autres, sans rien gagner en échange, certainement pas le paradis.

1. Georges Salines, *L'Indicible de A à Z*, Seuil, 2016.

Toutefois, la raison me laissait penser que les parents de djihadistes ne pouvaient être traités en coupables a priori. Certains comme, semble-t-il, des membres de la famille de Mohammed Merah, ont été complices, au moins idéologiquement. D'autres non, et ceux-là semblent de loin être les plus nombreux. Néanmoins, la perspective de rencontrer le père du possible meurtrier de ma fille était beaucoup plus angoissante que celle de parler avec des mères de jeunes partis en Syrie, et dont le parcours ne m'avait pas directement affecté.

D'autres questions se posaient aussi au-delà de mon ressenti personnel. Puisque M. Amimour se considérait comme une victime, allait-il me demander d'adhérer à notre association 13onze15 ? Je savais bien que ce serait totalement inacceptable pour la plupart des membres. Le simple fait que je le rencontre pouvait d'ailleurs susciter des réactions négatives. J'ai donc demandé à une des fondatrices de l'association, Aurélia Gilbert, de m'accompagner. Survivante du Bataclan, Aurélia avait de son côté également rencontré des mères de djihadistes, dont celle de Foued Mohamed-Aggad, membre du commando de la salle de concerts au côté de Samy Amimour.

Nous avons donc donné rendez-vous à Azdyne Amimour dans un café de la place de la Bastille, le 27 février 2017. Il ne nous a rien demandé, mais a longuement relaté son histoire, celle de son fils, son voyage en Syrie et leurs retrouvailles. Je lui ai donné quelques conseils, notamment celui d'entrer en contact avec des associations de parents de djihadistes : Syrien ne bouge agissons, fondée par Dominique Bons, qui a perdu son fils en Syrie, et SAVE Belgium, créée par Saliha Ben Ali en Belgique, dont la vie a été brisée par le départ en Syrie de son fils Sabri en 2013[1]. La rencontre fut très émouvante, car Azdyne est un personnage touchant, au parcours peu ordinaire, qui frappe autant par son humanité, son amour de la vie et sa tolérance que par sa culture autodidacte. Nous avons ensuite gardé contact et échangé de temps en temps quelques nouvelles et messages de sympathie.

En septembre 2018, lorsque le projet d'un livre d'entretiens entre Azdyne et moi m'a été soumis par le chercheur Sébastien Boussois[2], j'ai hésité. Je suis presque quotidiennement accusé sur les réseaux sociaux d'être un naïf, un promoteur de la bien-pensance et du politiquement correct, un contributeur du désarmement moral de l'Occident, voire un islamo-gauchiste ou un complice de l'islamisme… et j'en passe. Je sais aussi que beaucoup de victimes qui ne me font pas un tel procès ne sont pour autant pas prêtes à dialoguer avec des parents de terroristes. À l'occasion du second procès d'Abdelkader Merah, frère de Mohammed Merah, et du témoignage de leur mère, Carole Damiani, psychologue et directrice de

1. Saliha Ben Ali a raconté son histoire dans le livre *Maman, entends-tu le vent ? Daech m'a volé mon fils*, L'Archipel, 2018.

2. Sébastien Boussois est chercheur à l'université libre de Bruxelles et à l'université du Québec à Montréal. Conseiller auprès de plusieurs programmes et associations de prévention contre la radicalisation et l'extrémisme, il est spécialiste des questions de terrorisme et auteur de nombreux ouvrages sur le monde arabe.

l'association Paris Aide aux Victimes, a déclaré : « [Les parties civiles] comprennent tout à fait qu'il y a la douleur d'une mère, mais pour elles, leur douleur n'est pas de la même nature, et c'est compliqué de l'entendre dire qu'elle soutient ses enfants. Pour certaines victimes, c'est un peu comme des vases communicants, elles se disent : "Moi je souffre", et c'est très difficile d'entendre que la mère des auteurs souffre aussi[1]. » Azdyne Amimour ne « soutient » pas son fils, comme le fait la mère de Mohammed Merah, et il n'est en rien solidaire de ses actes. Cependant, lire les propos d'Azdyne aux côtés des miens pourrait être discutable pour certaines victimes. Comment serait reçu un dialogue entre le père d'une victime et celui de son assassin ? ou de son complice direct, car je ne sais pas lequel des trois membres du commando a tiré la balle qui a tué Lola – mais cela ne change rien.

Au fond, pourquoi refuserais-je, moi, un tel dialogue ? Depuis le 13 novembre 2015, mon action s'est inscrite dans le rejet des amalgames. En l'occurrence, je n'avais a priori pas de raison de faire porter au père la faute du fils, d'autant que je connaissais déjà suffisamment Azdyne pour savoir qu'il n'avait rien d'un terroriste ni d'un islamiste.

Mais ne pas avoir de motif de refus n'était pas suffisant, encore fallait-il des raisons me poussant à m'engager dans ce projet. Elles furent de deux ordres, l'un personnel et l'autre politique. Sur un plan personnel, je cherchais à comprendre les raisons qui avaient

1. Carole Damiani, France Inter, 25 mars 2019.

poussé des jeunes gens de l'âge de ma fille à commettre cet atroce massacre. J'avais besoin de démêler les fils qui ont animé ce sanglant théâtre de marionnettes. Dans l'espoir, peut-être vain, de dépasser le sentiment d'absurdité que j'ai éprouvé, et que j'éprouve toujours, vis-à-vis des circonstances de la mort de Lola. Par des échanges approfondis avec le père de Samy Amimour, j'espérais pouvoir progresser dans cette quête. D'autre part, sur un plan politique, ce dialogue inattendu avec un homme musulman, tolérant, et pourtant père d'un djihadiste, représentait une extraordinaire opportunité de montrer qu'il nous était possible de parler. Et si un tel échange avait lieu entre nous, alors nous pouvions abattre les murs de méfiance, d'incompréhension, et parfois de haine, qui divisent nos sociétés.

Favoriser la fraternité et le dialogue avec les musulmans est pour moi d'une importance capitale et cette position n'est en rien naïve. Il a été dit par certains hommes politiques que nous étions « en guerre avec le terrorisme ». Ceux qui emploient cette terminologie martiale en attendent sans doute un bénéfice électoral, mais elle n'en est pas moins trompeuse : le terrorisme djihadiste, comme toutes les autres formes de terrorisme d'ailleurs, n'a aucun objectif « militaire ». Son seul succès serait d'entraîner dans son sillage des mesures maladroites et excessives : lois liberticides, répression indiscriminée, fabrication de héros et de martyrs… jusqu'à une guerre de religion qui dresserait l'ensemble des musulmans contre les non-musulmans. Des engrenages similaires se sont déjà produits – comme pendant la guerre d'Algérie – et il serait insensé de recommencer les mêmes erreurs, particulièrement dans un pays où vivent plusieurs millions de musulmans, pour la grande majorité de nationalité française. Les naïfs sont en réalité ceux qui pensent pouvoir les « renvoyer chez eux » ou les contraindre par la coercition.

Si je crois nécessaire de tendre la main à nos compatriotes, à nos hôtes, à nos voisins musulmans, je ne veux pas réduire le dialogue de ce livre à un geste symbolique. Ce n'est pas avec un musulman que je discute, c'est avec Azdyne Amimour. Azdyne n'est pas plus réductible à son « statut » de musulman que je ne le suis à mon statut d'athée aux racines chrétiennes. Nous sommes avant tout deux pères ayant chacun perdu leur enfant, deux amoureux des voyages et de la culture, deux natifs des bords de la Méditerranée, deux êtres humains.

*

Azdyne Amimour (AA) : Ces dernières années, j'ai rencontré d'autres parents de djihadistes, mais aussi de nombreuses personnes touchées par les attentats du 13-Novembre : des rescapés et des proches de victimes, dont Georges Salines fait partie. Je l'ai contacté après l'avoir suivi dans les médias ; j'envisageais ce geste comme une manière d'aider et ce ne fut évident ni pour lui ni pour moi. Je voulais aider au nom de l'islam en lequel je crois, et aucunement en celui que mon fils a instrumentalisé pour parvenir à ses effroyables fins. Je condamne la violence au plus haut point et je condamne les actes de mon fils.

Pourquoi ce livre ? Je pense qu'il a été une thérapie pour chacun de nous deux. Après les événements, j'ai eu une boulimie livresque et dévoré tous les ouvrages écrits par des proches de djihadistes. J'ai essayé par là de comprendre, de trouver des réponses chez d'autres, avant d'éprouver le besoin de parler à mon tour, de raconter le parcours de mon fils et mon voyage en Syrie pour le retrouver. J'aspire ainsi à lever le voile sur la radicalisation et à donner tort à l'adage « tel père, tel fils », ou « telle mère, tel fils ».

Par le dialogue avec Georges Salines, j'ai voulu briser la haine et m'associer à la douleur des parents de victimes. Aujourd'hui, c'est donc avant tout une histoire de confiance et d'amitié qui nous unit. Nous avons appris à nous apprécier, pour comprendre, ensemble, et prévenir. Nous avons remonté le temps, tissé le fil de nos vies et de celles de nos enfants. Pour qu'une telle horreur ne se répète jamais plus.

La radicalisation d'un fils

Azdyne Amimour (AA) : Le 13 novembre 2015, je n'avais plus de nouvelles de mon fils Samy depuis plusieurs mois déjà. Parti en Syrie en septembre 2013, il avait fini par couper les ponts, le temps de se préparer certainement. Je crois que, de son point de vue, il désespérait de nous et avait compris qu'il ne nous convaincrait pas. Pour lui, nous étions probablement de mauvais musulmans, irrécupérables, et il n'avait sûrement plus rien à perdre.

Ce soir du 13 novembre, j'étais à Liège, en Belgique, dans le petit appartement que j'occupais, situé dans l'arrière-magasin d'un commerce de prêt-à-porter que j'avais lancé. J'ai fermé la boutique relativement tôt pour m'installer devant le match France-Allemagne, qui devait commencer à 20 h 30 au Stade de France. J'ai préparé mon dîner et commencé à regarder le match en pensant que j'aurais aimé que mon fils Samy soit à mes côtés. Dans ce match amical, Samy aurait à coup sûr soutenu la France, même si parfois il nous arrivait de supporter l'Algérie. À la deuxième mi-temps, j'ai vu Patrice

Évra jouer, puis hésiter, ce qui n'était pas dans ses habitudes. Le son n'était pas optimal sur ma tablette, mais j'ai pourtant bien entendu les détonations. Sur le moment, comme tout le monde, je n'ai pas saisi ce qu'il se passait, mais j'ai su par la suite que le président François Hollande avait quitté le stade. Bien que toutes les portes aient été fermées, les joueurs ont continué le match jusqu'au bout. Comme des millions de téléspectateurs, je n'ai pas compris sur le coup. Ce n'est que plus tard que j'ai écouté les informations à la radio.

Georges Salines (GS) : C'est là que tu apprends les fusillades survenues sur les terrasses parisiennes et l'attentat au Bataclan ?

AA : Effectivement. J'ai contacté ma femme Mouna, qui se trouvait dans notre appartement familial à Drancy, car je savais que notre fille la plus jeune sortait avec ses amies ce soir-là. J'ai demandé à ma femme si la petite allait bien et si elle n'était pas... au Bataclan. Le reste du week-end, j'ai beaucoup écouté les infos à la radio. François Hollande annonçait des perquisitions pour retrouver la piste des complices. À ce moment-là, on ne savait rien officiellement : ni le nombre de terroristes, ni leurs identités bien sûr. Comme tous les dimanches, je suis rentré à Paris. Sur le chemin, j'ai repensé à la déclaration de François Hollande. Avec Samy en Syrie et les perquisitions qu'il y avait déjà eues chez nous, je me suis demandé si la police allait revenir. Dans notre appartement à Drancy, je me suis levé plusieurs fois dans la nuit pour entrouvrir le rideau et regarder par la fenêtre. Rien. C'était la nuit du dimanche 15 au lundi 16 novembre.

Et toi, Georges, que faisais-tu le 13 novembre 2015 ?

GS : Le 13 novembre était un vendredi, jour où la fatigue de la semaine se mêle à la satisfaction de voir le week-end arriver. C'était un vendredi 13, mais je m'en moquais bien, je ne suis pas superstitieux et ce qui s'est produit ce jour-là n'y a rien changé. J'ai entrecoupé ma journée de travail par une séance de natation à l'heure de la pause déjeuner à la piscine de la Butte-aux-Cailles, à Paris. J'avais l'habitude d'aller y nager de temps à autre et j'y retrouvais parfois ma fille Lola. C'est ce qui s'est passé ce jour-là : elle était venue avec son amie Manon, sa voisine de bureau chez Gründ, où elles étaient éditrices. Sa mère, Emmanuelle, et moi voyions Lola presque tous les week-ends. Je l'invitais aussi parfois à déjeuner le midi, depuis que sa maison d'édition s'était installée place d'Italie – où nous nous trouvons aujourd'hui –, à quelques centaines de mètres de mes propres bureaux.

Je ne suis pas resté longtemps dans le bassin ce jour-là, car j'avais oublié mes lunettes de piscine. Nous avons échangé des banalités avec Lola. Quand on n'a aucune raison de penser qu'on ne se reverra plus, on ne se dit pas les choses qui comptent. Elle m'a dit qu'elle viendrait déjeuner le lendemain à la maison. Je ne savais pas que demain ne viendrait jamais pour elle et que c'était notre dernière conversation. Je ne lui ai pas non plus demandé ses projets pour la soirée.

AA : Tu ne savais donc pas qu'elle allait au Bataclan ?

GS : Non. Je n'ai appris que plus tard qu'elle avait été invitée au concert des Eagles of Death Metal par une amie qui avait un billet en trop. Au cours de cette soirée, son amie a pris une balle dans la fesse et Lola en a reçu deux, dont une mortelle.

AA : Je me demanderai toujours pourquoi ce jour, pourquoi ce groupe, pourquoi ce lieu…

GS : Tant d'aberrations et d'idioties ont été dites à ce sujet. Des gens peu informés ont pointé des paroles sataniques dans les chansons du groupe et une signification sinistre de son nom. En réalité, ce nom est un oxymore tiré d'une plaisanterie du leader du groupe. À un journaliste qui lui demandait si leur musique était du death metal, il a répondu : « Si ce qu'on fait est du death metal, alors nous sommes les Eagles du death metal » ; sachant que ce genre de musique est plutôt extrême, alors que les Eagles étaient un groupe au son souvent considéré par les fans de rock comme trop sage et sophistiqué. Le nom du groupe était donc simplement un clin d'œil.

AA : Lola aimait ce type de musique ?

GS : Lola aimait le metal et le hard rock, même si elle avait une préférence pour des sons plus mélodiques et complexes comme ceux d'Arcade Fire ou de David Bowie. Elle est allée plusieurs fois au Hellfest, à Clisson, en Loire-Atlantique, la Mecque des métalleux. Qu'elle aille au Bataclan écouter les Eagles of Death Metal n'avait donc rien de surprenant.

AA : Parle-moi de Lola, au-delà de tout ce que j'ai déjà pu lire dans les médias depuis ce terrible jour.

GS : Elle habitait dans le XXe arrondissement en colocation avec Agathe… et leur chat Billy qu'elles aimaient beaucoup ! Cet été-là, après une chute de Billy du cinquième étage, Lola avait renoncé à un projet de voyage en Inde. Elle a donc tranquillement passé une partie de l'été avec ses frères à Montpellier, où habite sa cousine. Je sais que ces vacances ont été merveilleuses pour elle. Elle avait entamé une relation amoureuse avec un jeune homme, entraîneur de son équipe de roller derby. Elle était passionnée par ce sport qui lui correspondait parfaitement : joyeux, ludique, frondeur, collectif, non conventionnel.

C'était aussi pour elle une période d'intense activité professionnelle puisqu'elle lançait la marque 404 Éditions, qu'elle avait créée et ainsi nommée en référence aux pages Web introuvables : « Erreur 404 ». Les livres publiés sous ce label appartenaient à l'univers « geek » et elle en avait d'ailleurs inventé le slogan : « La page que vous n'aurez plus à chercher. »

Finalement, je crois que 2015 aura été l'année de ses plus grands défis. Hélas, parce qu'elle n'aura pas eu le temps de les relever, ou peut-être heureusement, parce qu'elle est partie dans une période d'excitation et de bonheur.

Identité et religion

GS : Azdyne, peux-tu essayer de me raconter ce qui a pu conduire Samy jusqu'au drame du Bataclan ? Te souviens-tu de la première fois où il a manifesté un quelconque intérêt pour la religion et pour l'islam ?

AA : Oui, cela remonte à l'âge de ses quinze ans, en 2003, de manière insidieuse, dirais-je. Un jour, sa mère, Mouna, l'avait emmené à une visite médicale. Au terme de la consultation, le médecin a pris ma femme à part pour lui expliquer qu'il avait été intrigué par les propos de Samy. Mon fils lui avait en effet confié être mal à l'aise avec le fait que ses parents, en tant que musulmans, ne fassent pas la prière. Effectivement, ni moi ni ma femme ne priions et Mouna ne porte pas le voile.

La même année, Samy est parti en vacances au Sénégal avec son oncle et sa tante. Sur place, il a appris à pêcher et à tirer des pigeons au fusil, ce qui lui a plu. Malgré cela, il n'était pas très emballé par ses vacances, peut-être parce que c'était le premier voyage loin de sa mère.

Ses quinze ans n'ont en tout cas pas été une année heureuse, c'est en effet à ce moment-là que sa cousine Roxane s'est suicidée. Il ne la voyait pas souvent, mais je crois que sa disparition l'a beaucoup marqué. C'était son premier rapport à la mort et à partir de là, il a commencé à prier.

GS : L'avez-vous remarqué rapidement ?

AA : Certains de ses amis m'ont prévenu, mais j'ai aussi décelé des choses liées à la religion qui semblaient le gêner chez moi. En 2006 par exemple, je tenais une brasserie à Paris, Le Cléopâtre, à Bastille. Un samedi, j'y ai invité toute la famille à déjeuner. Comme d'habitude, Samy était en retrait et quand j'ai sorti une bière, je l'ai clairement senti mal à l'aise. Je crois même avoir vu une forme de haine dans son regard.

GS : Peut-être commençait-il à éprouver des difficultés de « construction identitaire », comme on dit aujourd'hui. D'ailleurs, comment se définissent tes enfants ? Sont-ils avant tout français ? algériens ? musulmans ?

AA : Samy et ses deux sœurs sont français et algériens, sans que cela n'ait jamais vraiment posé de questions. Quand les enfants étaient petits, nous passions des vacances en Algérie et en Tunisie. J'ai essayé de leur donner des cours d'arabe, notamment à Samy, qui manifestait un vague intérêt, contrairement à mes deux filles qui ne se sentaient pas du tout concernées.

GS : On dit parfois que lorsque l'on est de deux cultures, en réalité, on n'est d'aucune. Ce sentiment d'appartenance ou de non-appartenance est souvent complexe et semble entraîner certaines personnes dans un mal-être insurmontable.

AA : Il faut bâtir des ponts de part et d'autre de la Méditerranée pour atténuer ce grand écart vécu par nos enfants. C'est ce que nous essayions de faire lors les vacances estivales. Nous allions en Lorraine voir les grands-parents maternels et à Annaba, en Algérie, rendre visite à ma famille, notamment mes frères et sœurs. Depuis l'Algérie, nous gagnions la Tunisie, vers Tabarka, pour profiter de la plage qui y est agréable. Au final, je ne sais pas si Samy se considérait davantage français ou algérien : je pense qu'il se pliait à l'une ou à l'autre de ses origines.

GS : « Se plier », c'est étrange comme expression… C'est tout sauf « s'épanouir ».

AA : C'est possible qu'il y ait eu un certain automatisme. Samy semblait se plaire en Lorraine chez ses grands-parents maternels ; il en revenait enchanté. En Algérie, il avait des dizaines de cousins, puisque j'ai quatorze frères et sœurs. Tout le monde l'appréciait : on l'appelait « Oui » car il disait oui à tout. Bien que timide, il aimait être en bande, il devait se sentir rassuré. Une fois, avec ses copains, il était allé dévisser les valves de pneus de plusieurs voitures. Je n'avais bien sûr pas cautionné, mais quelque part j'étais content qu'il se risque un peu, qu'il fasse quelque chose d'osé.

GS : Tu as conscience tout de même que c'était « légèrement » illégal et punissable par la loi ?

AA : Oui, bien sûr, mais ça ne s'est pas répété. Sa mère était inquiète – en réalité elle était toujours inquiète pour lui –, moi, j'avais trouvé que ce n'était pas dramatique. Devant son insistance, je lui ai même répondu : « Mais laisse-le donc, il n'a tué personne ! »

GS : Ah oui…

AA : J'aurais peut-être dû mettre une ou deux gifles à Samy quand il était enfant… Mais je ne l'ai jamais frappé. Même quand il était en Syrie, je l'ai toujours écouté sans le contredire, sans oser.

Il m'est arrivé de le bousculer une ou deux fois, comme en Algérie, où je l'avais disputé sèchement à la plage car il avait disparu plusieurs heures avec son cousin. J'avais pris peur car, l'été précédent, j'avais sauvé deux enfants de la noyade et je gardais ces images en tête. Le soir de cette journée, je ne me suis pas senti bien, j'avais eu très peur de le perdre.

Ai-je été trop laxiste ? Je ne sais pas. C'était un bon garçon et j'ai longtemps pensé qu'il était heureux. Nous étions ouverts, nous avions même un sapin à Noël ! Je partais du principe que l'on était en France, et comme beaucoup de ses camarades fêtaient Noël, je ne voulais pas l'en priver. Il m'est même arrivé de me déguiser en père Noël pour apporter les cadeaux ! Les enfants attendaient sagement au pied de l'arbre avec leurs souliers.

GS : C'est curieux pour une famille musulmane, non ? Figure-toi qu'avec ma femme, nous n'entretenions absolument pas le mythe de Noël auprès des enfants. Je ne leur ai jamais fait croire au père Noël.

AA : On ne peut pas me reprocher d'avoir fait preuve d'intolérance… Les miracles du prophète, de Jésus, les Rois mages, la guérison des lépreux, la mort tragique du Christ m'ont toujours fasciné. Mais tu as été dur de ton côté avec tes enfants !

GS : Je crois que je n'ai jamais voulu présenter comme vraies à mes enfants des histoires en lesquelles je ne croyais pas moi-même. Pour autant, les enfants adoraient cette fête, les repas et les cadeaux. Je leur ai raconté les histoires de Noël, mais j'ai toujours présenté le père Noël comme un personnage de légende. Ils savaient que c'étaient les parents qui offraient les cadeaux.

AA : Pour moi, c'était faire découvrir à mes enfants la culture du pays où ils vivaient, je leur ai toujours laissé le choix. Il en a été de même pour la pratique du ramadan, nous n'avons jamais forcé nos enfants à le faire avec nous. Aucun d'eux ne faisait la prière pendant l'année, pas plus que nous d'ailleurs. J'étais croyant mais pas pratiquant. Toutefois, comme pour tous les Algériens, le ramadan était un rituel incontournable, familial et culturel.

GS : Je pense, en ce qui me concerne, que je voulais surtout que mes enfants puissent avoir une totale confiance en ce que je leur disais. Tu dis que tu es croyant, je ne le suis pas, mais je suis toujours curieux des croyances des autres. Pourquoi crois-tu ? Qui est Dieu pour toi ?

AA : Je crois en un Dieu qui est le grand architecte de l'univers et je crois au prophète qui nous a été envoyé. Ce Dieu est aussi en moi et je sais qu'il fait le compte de mes bonnes et de mes mauvaises actions. Quand les enfants étaient petits, je ne parlais pas beaucoup de religion, je leur expliquais simplement les bases de l'islam. C'est Samy qui, plus tard, me fera revenir à la religion et à la prière.

De la prière à la radicalisation

GS : Y a-t-il eu un moment particulier où tu as craint une dérive de Samy ?

AA : Quand nous allions l'été en Algérie, notamment pendant la période noire des années 1990, je voyais la folie qui pouvait conduire certains musulmans au pire. Devant l'intérêt de Samy pour la religion, j'ai pris les devants et lui ai suggéré en 2008, lorsqu'il avait vingt et un ans, de se renseigner sur un cursus d'imam à l'université libre de Bruxelles. Je préférais qu'il professe une religion saine et apaisée en étant formé par une institution publique et des conférenciers reconnus plutôt qu'il soit influencé par des courants déviants.

GS : Quelles étaient jusqu'alors ses sources d'information sur l'islam ? Qu'avait-il lu ?

AA : Je sais qu'à vingt-quatre ans, en 2011, au moment où il a commencé à se radicaliser, il a lu le Coran traduit par l'islamologue Tariq Ramadan. Il suivait par ailleurs sur Internet un certain « Abourayan » en Belgique. Il m'avait même suggéré de regarder les vidéos de cet homme dont il appréciait les paroles. Il se trouve que cet Abourayan, je le découvrirai par la suite, a eu des liens avec Sharia4Belgium, la pépinière de djihadistes d'Anvers, conduite par Fouad Belkacem. Abourayan, Mickaël Debreda au civil, était un converti. Y a-t-il eu un rapport ? En tout cas, Samy me parlera de plus en plus de ses copains de fortune de Bruxelles, mais je ne pense pas qu'il y soit jamais allé.

GS : Penses-tu que Samy a entamé sa dérive avec cet individu ?

AA : Peut-être. Mais malheureusement, il n'y a pas eu qu'Abourayan dans le parcours de Samy. Il était aussi très sensible au discours d'un Turc sur Internet, un certain Harun Yahya, arrêté depuis. Nous le considérions comme un charlatan, mais mon fils ne voulait rien entendre. Harun Yahya vivait dans une grande villa, entouré de femmes, et représentait le courant du créationnisme musulman, proche de la doctrine des chrétiens évangéliques. Opposé à l'évolution darwinienne, ce courant défend la théorie de la main de Dieu à l'origine de toute chose. Antisioniste, anti-franc-maçon et homophobe, Yahya intervenait aussi dans le débat public. Il a été arrêté pour fraude et agressions sexuelles. Sa littérature continue à circuler à travers le monde. Mon amie Saliha Ben Ali, mère de djihadiste et fondatrice de l'association SAVE Belgium, a même récemment reçu ses livres…

Outre ces vidéos Internet, Samy a lu toute une série de livres religieux, dont je trouvais certains titres suspects. Parmi eux, *Je veux me repentir mais...*, *Comment augmenter ma foi*, *Oui ! je me suis converti à l'islam*, *Musulmane dans une famille française*, *Les Signes de la fin des temps*, etc. Un jour, il a même offert le Coran traduit en français à sa mère.

GS : *Les Signes de la fin des temps*… Cela fait froid dans le dos. On peut trouver ce genre de littérature dans les librairies salafistes un peu partout en Europe, mais, à ce stade, ce n'est que de la théorie pour Samy, semble-t-il. Y a-t-il eu un catalyseur ? Le Printemps arabe en 2011 et la guerre en Syrie ?

AA : Au début, il n'avait pas vraiment d'avis sur la question. Il aura sûrement fallu que quelqu'un l'embobine pour que poussent les graines de la révolte et de la haine. À ce moment-là, il était qui plus est en transition professionnelle. Il avait arrêté ses études de droit, mais aussi son DUT qu'il avait commencé dans les métiers du transport. Après quelques petits jobs d'appoint à la préfecture et ailleurs, il est entré en stage à la RATP. Nous étions, ma femme et moi, rassurés, d'autant qu'il a été embauché par la suite comme chauffeur de bus sur la ligne 148 Bobigny-Le

Blanc-Mesnil. Il y restera un an. J'avais rêvé de grands projets pour lui et suggéré qu'il fasse du droit pour devenir notaire, mais, dès lors, autant devenir pragmatique. Nous étions en réalité loin de nous douter qu'il travaillait pour économiser de l'argent en vue de partir en Syrie…

GS : Lui as-tu fait part de ta propre déception en ce qui concernait ses choix de vie ?

AA : J'ai gardé pour moi mon agacement, mais en mon for intérieur, je bouillais : « Franchement, j'ai trimé toute ma vie pour que toi tu finisses chauffeur de bus ?! » Comme s'il m'avait entendu malgré mon silence et, se sentant probablement jugé, il me lancera un jour : « Si ton commerce ne marche pas, Papa, c'est parce que tu ne pries pas assez. » Ça a été le coup de massue. J'avais le sentiment que plus on essayait de lui trouver des solutions, plus il déraillait. À ce moment-là, j'ai compris qu'il commençait à mal tourner.

Mauvaises rencontres

AA : Je pense que redevenir musulman a été dans un premier temps pour Samy un salut et un moyen de s'approprier une identité. Pas particulièrement convaincu par les identités française ou algérienne, il devenait, pour la première fois de sa vie, fier d'une identité qu'il pouvait choisir et, surtout, construire et développer en fonction d'objectifs à atteindre. L'identité ne peut être uniquement un héritage, elle doit être aussi un gage d'avenir. Et nous l'avons bien vu avec ma femme : il a commencé à faire du sport, à se muscler, se regarder souvent dans la glace, s'apprécier, puis s'aimer. Tous les ingrédients du basculement étaient là : un mal-être identitaire, une série d'échecs, sa soif de connaissances sur l'islam, son caractère influençable… Tout, jusqu'à la mauvaise rencontre.

GS : La mauvaise rencontre… au mauvais moment. Saliha Ben Ali dit justement de son fils qu'il a « commencé à écouter le discours de Fouad Belkacem, dirigeant de Sharia4Belgium (incarcéré et déchu de sa nationalité belge depuis), qui disait : "Vous n'êtes pas belges, vous n'êtes pas marocains, vous êtes supérieurs à n'importe quelle nationalité puisque vous êtes des musulmans. Et les musulmans sont supérieurs à tous les peuples"[1] ».

AA : Pour nous, parents, c'était difficile de connaître véritablement les fréquentations de Samy. Nous avions un voisin venu de Djerba, en Tunisie, à qui je n'ai pas prêté attention au début, mais qui a probablement conforté Samy dans sa redécouverte dévoyée de l'islam et dans la vision du monde qu'il en retirera. Tout cela m'est revenu par la suite : après le 11 septembre 2001, du jour au lendemain, ce Djerbien

---

1. *Cahiers de l'Orient* n° 134, 2019/2, « Quelle contre-radicalisation ? ».

s'est laissé pousser la barbe. Il n'avait que dix-sept ou dix-huit ans, c'était un gamin. Plusieurs fois, il est venu frapper à la porte pour nous parler d'islam. Je lui ai demandé ce qu'il comptait m'apprendre sur ma religion, moi qui avais l'âge d'être son père. Il voulait nous parler du prophète, de la prière, des obligations des musulmans et répétait un discours appris dans un arabe approximatif. Nous avons fait barrage avec Mouna, mais il revenait comme une sangsue. Samy a-t-il fini par l'écouter ? Je ne le saurai jamais, il est parti depuis. Alors que sur le même palier, nous avions notre voisin Richard, qui était juif et qui a toujours été d'une grande ouverture d'esprit. Un pied de nez à mes vieilles croyances d'Arabe sur les juifs dans les années 1960 !

Ce n'est que plus tard que je comprendrai que les amis proches de Samy, et surtout ceux qui partiront avec lui en Syrie, ont certainement été le déclencheur : une forme de solidarité générationnelle, des frustrations communes, un projet salvateur à leurs yeux…

GS : Combien de temps Samy est-il resté à la RATP ?

AA : On a longtemps cru qu'après quelques mois il avait pris une année sabbatique. Il n'en était rien. Je me disais bien en même temps que la RATP n'allait pas lui financer une formation pour qu'il parte en congé quelques mois plus tard, cela n'avait aucun sens. Il ne nous a évidemment rien dit pendant tout ce temps : la fameuse *takiya*, ou l'art de la dissimulation de ses véritables intentions...

Il avait en réalité démissionné pour se préparer à partir en Syrie. À ce moment-là, il a aussi commencé à fréquenter assidûment les mosquées, à faire des maraudes le soir pour venir en aide aux pauvres du quartier et à envoyer des sacs entiers de vêtements aux Syriens. Selon moi, c'est le premier lien qui s'est mis en place avec la Syrie.

GS : Dans quelle mosquée priait-il ? À Drancy, où officie le fameux imam Hassen Chalghoumi, très médiatique, mais aussi très critiqué pour son parcours atypique ?

AA : Justement non, et peut-être pour cette raison d'ailleurs. Chalghoumi n'est pas le plus rigoureux des imams, il se revendique politiquement à droite et apprécie Nicolas Sarkozy. En revanche, Samy ira à la mosquée du Blanc-Mesnil, qui a justement été dans le collimateur des services de renseignement pendant un temps et que certains médias paraissaient considérer comme salafiste. Après l'attentat au Bataclan, l'association culturelle musulmane du Blanc-Mesnil publiera toutefois un communiqué indiquant que Samy ne faisait pas partie des fidèles de la mosquée.

GS : L'avais-tu pourtant accompagné ?

AA : Au ramadan 2012, j'y suis allé une fois avec lui. Vêtu d'un qamis, il ne m'a pas parlé durant le trajet. Une fois à l'intérieur, il a rejoint un groupe d'amis à qui il m'a présenté, avant de se mettre à prier. Je me sentais de trop. Je suis allé au fond de la mosquée faire mes prières à moi. L'imam est arrivé et a fait son prêche, je n'ai rien entendu de scandaleux ou de choquant. Samy a ensuite disparu avec ses amis et je me suis retrouvé seul avec toute la misère du monde dans mon cœur. Nous nous étions tant éloignés ces dernières années…

Je ne savais pas quoi faire, son quotidien semblait réglé : il se levait à 4 heures du matin, partait à la mosquée en voiture ou à pied avec ses amis – parfois il allait à celle du Bourget –, puis il y restait des heures le soir une fois les portes fermées. Que s'y passait-il ? Je n'en ai pas la moindre idée.

GS : Penses-tu qu'il se soit radicalisé à la mosquée ?

AA : On ne pourra jamais faire que des suppositions. Nous avions entendu qu'à la RATP il y avait un noyau dur de salafistes, il les a peut-être fréquentés. À un moment, j'ai imaginé qu'il avait quitté l'entreprise pour se rapprocher d'eux, mais il y avait déjà par ailleurs d'autres faits plus troublants. Nous avons appris qu'il s'était inscrit à un stand de tir sportif rue de la Reine-Blanche à Paris. Et pas n'importe quel stand : celui de la police nationale, auquel a priori tout le monde peut avoir accès. Sous couvert du parrainage d'un membre, d'un policier ou d'un gendarme, il est possible d'adhérer à l'association sur présentation d'un extrait de casier judiciaire vierge, d'un certificat médical attestant l'absence de contre-indication à la pratique des activités physiques et sportives du tir et de présenter une copie de la carte d'identité. À l'époque, nous ne comprenions pas pourquoi il avait besoin d'apprendre à manipuler une arme. Ce n'est que plus tard que nous avons su que son ami d'enfance, Charaf, s'y était inscrit un an auparavant ; mais je ne sais pas comment ils ont réussi à se faire parrainer.

C'est aussi à la même période que Samy rencontre sa future femme, Kahina, probablement sur la ligne de bus qu'il conduit à la RATP. Elle vient du Blanc-Mesnil et le rejoindra en Syrie début 2015, où ils se marieront. C'est d'ailleurs cocasse de porter la burka quand on s'appelle Kahina…

GS : Pourquoi ?

AA : Eh bien, Kahina était une grande reine berbère, de confession juive, qui a lutté, à la fin du VIIe siècle, contre l'envahisseur arabe… et musulman !

GS : Le comble !

J'imagine que le voyage que Samy entreprend en Syrie a été mûri comme un projet global : partir, combattre, se marier, avoir des enfants, révolutionner sa vie… Avait-il déjà donné des indices ? Avais-tu eu connaissance d'autres projets de départ ou de voyage ?

AA : Le sujet revenait de plus en plus en 2012. Samy avait déjà vingt-cinq ans, difficile donc d'avoir prise sur lui. Il a commencé par me parler d'un voyage en Afghanistan « pour apprendre l'arabe ». J'ai tiqué et lui ai répondu que c'était absurde, étant donné qu'on ne parle pas arabe en Afghanistan ! Je voyais bien qu'il n'y connaissait rien et que l'idée ne venait pas vraiment de lui. La fois d'après, il a évoqué un projet de voyage au Yémen, toujours pour le même motif. Afin de le décourager, je lui ai dit que ce n'était pas l'idéal et que la chaleur et la pauvreté ne lui conviendraient pas. Il était instable et je me doutais qu'il changerait d'avis. Je n'ai rien dit à ma femme, mais je savais qu'il y avait Al-Qaïda au Yémen. J'ai alors décidé de le réorienter sur l'Algérie, où il apprendrait très bien l'arabe, sans succès... Il est revenu plus tard avec l'Égypte en tête. J'étais tiraillé : inquiet, mais en même temps content qu'il se mette enfin à la langue de ses origines, d'autant qu'il l'étudierait au sein de la prestigieuse université al-Azhar, au Caire.

La descente aux enfers

GS : Quand Samy commence-t-il à avoir des problèmes avec la justice ?

AA : À cette période, il ne portait plus que des qamis et m'a rendu tous ses costumes « européens ». Il fréquentait deux amis d'enfance de Drancy, Samir et Charaf. Un jour, l'un d'eux a hébergé un individu fiché S et cela a marqué le début de la descente aux enfers. Ils ont commencé à organiser un départ en Syrie pour y faire le djihad. Je pense que Charaf, le plus âgé, était probablement le meneur du trio et que les deux autres se sont laissé influencer. À l'époque, nous n'avons rien vu de tout cela avec Mouna. Discret, timide, taiseux, Samy était le candidat parfait pour Daech.

GS : Samir et Charaf étaient-ils des délinquants ?

AA : Pas du tout, aucun des trois. La première perquisition de notre appartement est donc survenue comme un éclair venant déchirer le ciel.

GS : Que s'est-il passé ? Tu étais là ?

AA : Oui, je faisais des allers-retours en Belgique pour mon commerce, mais, ce 16 octobre 2012, j'étais bien présent dans l'appartement de Drancy. Il faisait encore nuit vers 7 heures le matin et j'ai entendu des bruits de cavalerie, un brouhaha de pas, de ferraille et de voix qui m'a sorti de mon sommeil. S'ils avaient sonné, j'aurais ouvert, mais en moins de temps qu'il n'en faut pour le dire, la porte d'entrée a sauté.

J'ai cru à des cambrioleurs avant de voir des hommes cagoulés envahir l'appartement. « Ne bougez pas ! » a crié l'un d'eux en braquant une arme sur moi. On nous a immédiatement menottés, ma femme et moi, et déplacés dans la cuisine. Ils semblaient exactement savoir ce qu'ils recherchaient et où se trouvait la chambre de Samy. Il en est ressorti menotté lui aussi et, arrivé à notre hauteur, il nous a regardés avec effroi, ma femme et moi, attachés dos à dos. Je lui ai demandé ce qu'il se passait et il m'a répondu :

« Je te jure, Papa, je n'ai rien fait de mal. » J'ai demandé à un policier si cela avait à voir avec la drogue. Celui-ci m'a simplement répondu : « La drogue ? Non, non. » Puis ils lui ont mis une cagoule et l'ont embarqué. Samy est resté quatre jours en garde à vue, pendant lesquels nous nous sommes posé toutes les questions du monde.

GS : Qu'avez-vous fait pendant ces jours que j'imagine interminables ?

AA : Je suis parti à Liège pour ouvrir la boutique de prêt-à-porter que j'avais lancée. Mouna était paniquée, je la rassurais par téléphone, Samy avait peut-être été confondu avec quelqu'un d'autre… On apprendra rapidement que Charaf et Samir avaient été arrêtés aussi.

GS : Comment s'est passé le retour de garde à vue ?

AA : Quand Samy est rentré, il était affaibli car il n'avait rien mangé, les repas n'étant pas hallal. J'étais en Belgique et nous avons un peu discuté par téléphone. Il m'a confié que, lors de la perquisition, il avait eu peur qu'on lui tire dessus par la fenêtre s'il fuyait. À mon retour, il nous a invités au restaurant pour nous expliquer : « Charaf a hébergé un de ses amis qui était fiché S. La police a dû voir qu'on était amis, c'est tout. » Nous avons échangé des regards dubitatifs avec ma femme, mais que faire ? Samy avait vingt-cinq ans, nous n'avions aucun moyen de le forcer à nous révéler la vérité.

GS : Sais-tu aujourd'hui de quoi la justice les accusait en 2012 ?

AA : Oui, je l'ai su à grand-peine. Nous n'avons pas eu accès à tous les documents du dossier, mais je sais qu'à l'issue de la garde à vue, ils ont été mis en examen pour association de malfaiteurs dans une entreprise à caractère terroriste. C'est le célèbre juge antiterroriste Marc Trévidic qui a instruit le dossier. La police les avait mis sur écoute et avait découvert que les trois voulaient partir au Yémen non pas pour apprendre l'arabe bien évidemment, mais pour faire le djihad. Samy a été auditionné par David Bénichou, le second juge du dossier, et Charaf et Samir par Marc Trévidic. Dans les faits, les trois avaient effectué des recherches sur Internet pour se rendre en zone pakistano-afghane ; l'un des trois avait même fait une demande de visa pour le Pakistan. Puis Charaf a hébergé un certain M'Bodji, fiché S depuis un passage au Yémen. L'accès au Pakistan semblant trop compliqué, ils se sont donc rabattus sur le Yémen. M'Bodji entretemps parti à Djibouti, les trois autres ont tâtonné pour parvenir à leurs fins. Samy a fait des recherches auprès d'agences de voyages pour passer par Oman et j'ai appris plus tard par une journaliste que Charaf et Samir avaient mis 20 000 euros de côté. Je ne saurai jamais ce que Samy avait économisé pour son « grand voyage », mais, prétextant des vacances entre amis dans le sud de la France, il s'était acheté du matériel de camping (sacs de couchage, chaussures de marche…). Pressentant un départ imminent, la police avait lancé la perquisition. Nous étions à mille lieues d'imaginer tout cela.

Une source m'expliquera qu'ils préféraient les arrêter avant qu'ils ne partent au Yémen. Le dossier a été déféré et les trois acolytes mis sous contrôle judiciaire. À ce moment-là, Charaf a prévenu M'Bodji de l'échec de la tentative de départ et revu ses plans pour partir à Tataouine, en Tunisie, où se trouvait un noyau dur de salafistes. On retrouvera la trace de M'Bodji au Mali, d'où il contactera d'ailleurs Samy.

GS : Cet épisode ressemble davantage à une initiative de pieds nickelés qu'à une véritable opération commando ! Mais j'imagine qu'une fois sur place, les apprentis djihadistes se « professionnalisent ».

AA : D'autant que la mise en examen ne les a pas refroidis. Pire encore, les trois avaient obligation de pointage et c'est l'État qui, cette fois-ci, a fait figure d'amateur. La justice va en effet finir par se rendre compte qu'aucun des trois ne pointe plus au commissariat. J'apprendrai plus tard, par un ami avocat, qu'en droit commun, il n'existe aucun moyen pour les juges de vérifier qu'un prévenu continue bien à pointer.

GS : C'était avant 2015 et il me semble que le dispositif s'est largement renforcé depuis. Espérons-le en tout cas.

AA : Oui, il y a eu des failles, c'est évident, car Samy, Charaf et Samir finiront par partir en Syrie en septembre 2013, au moment où le pays commence à devenir une destination de prédilection pour les djihadistes. Tous trois étaient interdits de sortie de territoire et s'étaient vu retirer leurs papiers d'identité. Mais on a appris par la suite que Samy s'était rendu au commissariat pour faire une déclaration de perte de carte d'identité, avant de déposer une demande de renouvellement à la mairie et qu'une nouvelle carte lui soit délivrée par la préfecture de Bobigny ! Comment est-il possible qu'il n'y ait eu aucun barrage administratif ?!

Après les événements, on nous a assuré qu'il n'en était rien. Mais il se trouve que, côtoyant les employés de la mairie via des activités bénévoles, Mouna connaissait l'agent qui avait remis la carte d'identité à Samy. Celui-ci a confirmé que mon fils était bien venu récupérer sa carte en personne. Ce n'est malheureusement pas le seul point obscur de cette histoire… Ce que je sais, c'est qu'à l'époque, il n'y avait pas d'interconnexion entre le fichier des personnes recherchées (FPR) et celui où les prévenus consignent le dépôt de leurs papiers saisis. C'est ainsi que Samy et ses acolytes quitteront le territoire pour la Syrie, destination plus accessible que l'Afghanistan ou le Yémen. Au moment où la guerre s'accélérait, ils ne s'y sont pas trompés.

GS : Proportionnellement au nombre de départs en Syrie, peu de djihadistes sont revenus commettre un attentat en France, fort heureusement. C'est déjà incroyable que bien que fichés S, mis en examen et astreints à un contrôle judiciaire, ils puissent quitter le pays ; mais revenir en France sans être inquiétés... l'espace Schengen est bien un panier percé ! Ou du moins il l'était à cette période.

La Syrie, le point de non-retour

GS : Concrètement, comment s'organisent Samy, Charaf et Samir pour partir ?

AA : Je sais que Charaf est parti en Syrie avant, je pense qu'il avait joué le rôle de rabatteur pour les deux autres, lui-même recruté par M'Bodji. Quelques semaines avant son départ, Samy a acheté une voiture avec ses économies. Je sais qu'il a attendu longtemps pour en obtenir la carte grise, on ne comprenait d'ailleurs pas pourquoi. Quelques jours avant, il a donné beaucoup de ses vieux vêtements à sa mère et en a pris aussi, nous croyions que c'était pour les distribuer aux pauvres pendant ses maraudes. Et puis est arrivé le mardi 3 septembre 2013.

Ce matin-là, Samy est venu m'embrasser et me serrer dans ses bras. Je partais à Liège le jour même et j'ai trouvé cela curieux, car nous n'étions pas vraiment tactiles tous les deux. Pendant tout le trajet, ce geste m'a trotté dans la tête et j'ai appelé ma femme en arrivant à Liège. Elle m'a dit que je m'inquiétais certainement pour rien, mais je ne me trompais pas.

Plus tard, Mouna repensera au regard de Samy quand il s'est dirigé vers l'ascenseur. Il ne s'est pas retourné parce qu'un dernier regard en direction de sa mère, confiera-t-il à sa sœur, aurait pu le faire changer d'avis.

GS : C'est terrifiant, ce départ sans retour possible. Il ne pouvait plus rentrer chez ses parents, comme s'il allait perdre toute innocence, toute possibilité de rédemption. Et rien ne serait plus comme avant.

AA : Oui, Georges, je perds mon fils une première fois à ce moment-là. Il sera repéré en Turquie le 6 septembre 2013. J'imagine qu'ils y sont allés en voiture. Il a appelé sa mère par Skype peu de temps après pour lui annoncer qu'il était en Syrie : « Ne me cherchez pas. Je suis avec Charaf et Samir. Tout va bien. » Quand je l'ai appelé, j'ai essayé de me mettre en colère, lui demandant de rentrer, mais je craignais qu'il se braque et disparaisse dans la nature. Nous n'avions aucune prise sur lui.

Je sais maintenant qu'il a directement rejoint le front Jabhat al-Nosra en terre de Chams, comme on appelle la Syrie, mais nous étions peu informés et pensions qu'il pouvait avoir rejoint un mouvement humanitaire.

GS : J'imagine que c'est compliqué de savoir comment réagir. J'aurais sans doute été dans le même dilemme que toi : hausser le ton ou essayer de se rassurer et de raisonner en espérant qu'il fasse demi-tour.

AA : Il m'expliquait qu'il n'allait pas au front, qu'il aidait les populations locales et apprenait l'arabe. Il ne nous a jamais dit qu'il était parti faire le djihad. Puis les conversations Skype n'ont plus laissé place au doute : un jour, nous avons clairement vu des kalachnikovs derrière lui, dans une pièce dénuée de tout. Quand je l'ai questionné, il m'a répondu que les armes appartenaient à d'autres clients du cybercafé.

GS : En maintenant un contact avec vous, cherchait-il à vous rassurer ou à vous convaincre du bien-fondé de son entreprise ?

AA : Il nous appelait chaque semaine, le dimanche, jour de mon retour à la maison. Au début, il nous parlait de son action humanitaire en faveur des Syriens qui souffraient du régime de Bachar al-Assad. Puis, petit à petit, il a glissé et essayé de nous convaincre de le rejoindre, un classique de l'endoctrinement. « Venez, j'ai des chats ici, une grande maison, une piscine, pourquoi restez-vous en Europe ?! » nous disait-il souvent. Avec ses sœurs Alya et Maïssa, il a même développé une relation beaucoup plus proche par Skype que lorsqu'il vivait près d'elles, c'était très étonnant.

GS : Avez-vous essayé de prévenir la police ? de faire appel à un avocat ?

AA : Non, nous avions peur qu'il coupe totalement les ponts. C'est compliqué pour des parents de perdre confiance en leur enfant. Et puis nous étions en 2013 et Daech n'existait pas à l'époque, les choses n'étaient pas si évidentes. Il n'y avait pas de numéro vert d'ailleurs, il ne sera mis en place qu'en 2014[1].

Le voyage de la dernière chance

GS : Tu as essayé de le retrouver en Syrie, n'est-ce pas ? Un voyage à haut risque…

AA : Oui, j'ai décidé d'y aller. Le 13 juin 2014, soit neuf mois après le départ de Samy, je quitte la Belgique pour la Turquie. Dans mon sac, mes deux passeports – français et algérien –, 400 euros en liquide et deux téléphones portables. Je prends un vol de Charleroi à Istanbul, puis un vol intérieur pour Hatay, à l'est de la Turquie. J'avais en effet appris que Samy était lui aussi passé par Hatay, ville frontalière de la Syrie.

Mouna me donne une lettre qu'elle a écrite pour lui et part quelques jours trouver du réconfort auprès de notre fille Alya qui vit à Dubaï. Arrivé en Turquie, j'ai été malade plusieurs jours, reclus dans mon hôtel de Hatay. De ma chambre, je pouvais voir la frontière. Je savais que les services de renseignement syriens

1. Le Comité interministériel de prévention de la délinquance et de la radicalisation a créé un numéro vert (le 0 800 005 696) pour répondre aux inquiétudes des familles de jeunes radicalisés.

étaient sur les rangs et me méfiais. À l'hôtel, j'ai tissé des liens, je me faisais passer pour un journaliste grâce à une vieille carte de presse que j'avais gardée du temps où je tenais une rubrique cinématographique dans le magazine *Paris Loisirs*. Il fallait à tout prix que je trouve le moyen d'entrer en Syrie sans attirer l'attention.

GS : Que disait la lettre de Mouna à Samy ?

AA : Je vais te la lire :

Bonjour mon fils,

Tous les jours, je prie pour ta sécurité. Tous les jours, mes pensées sont pour toi, du matin jusqu'à ce que je m'endorme. J'ai une blessure au fond de mon cœur. Ma chair, mon sang, je n'oublierai jamais ce regard quand tu es parti. Au fond de moi, je l'ai senti, mais je n'aurai jamais cru que toi que j'ai chéri, même si tu ne l'as pas ressenti, tu me laisserais ainsi. Mon cœur pleure tous les jours et mon seul souhait est que tu sois heureux, là où tu as choisi de faire ta vie, même loin de moi. Je souhaite que tu fondes une famille et que Dieu te protège, mon fils bien-aimé. Tu me manques énormément et si tu me dis tous les jours que tu vas bien, cela me suffit. Je t'embrasse de tout mon cœur, tous ceux qui t'aiment aussi. Papi et Mami sont très affectés et prient pour toi tous les jours. Tante, cousins et cousines aussi ! Bises, mon fils. Je t'aime de tout mon cœur. À bientôt, inch'allah.

Ta mère

GS : Elle ne parle pas du tout de toi, son père…

AA : Non, c'est sa lettre, même si cela peut paraître étonnant, je le conçois.

Ce que je voyais depuis Hatay me rappelait les paysages que j'avais connus en Syrie dans les années 1960 ; je m'y rendais depuis la Jordanie où je vivais. Rien ne semblait avoir changé. Après avoir repris des forces, je suis monté à bord d'un taxi fraudeur pour atteindre la frontière. Je ne voulais appeler Samy qu'une fois arrivé en Syrie pour garder toutes mes chances de le retrouver.

GS : Es-tu rentré en Syrie si facilement ?

AA : En réalité, ce fut compliqué : seuls les Syriens avec un passeport pouvaient rentrer dans leur pays. Samy, lui, avait pu passer en 2013, car la frontière était encore une passoire. Je suis retourné à l'hôtel et l'ai appelé pour lui dire tout de go : « Je suis en Turquie, à la frontière syrienne. Je suis venu te voir. » Interloqué, il m'a répondu de façon plutôt désagréable. Il me soupçonnait certainement de vouloir le convaincre de rentrer. Si j'évoquais le sujet une seule fois, c'était fichu. Il m'a ensuite indiqué de passer par Gaziantep, à deux cents kilomètres de là, et de l'appeler une fois sur place. J'avais gagné mon pari, il était prêt à m'amener à lui : « Donne-moi ton numéro turc et un certain Omar t'appellera pour te faire passer. Note son numéro. »

GS : Es-tu allé à Gaziantep ensuite ?

AA : Oui, j'ai pris une chambre d'hôtel et je me suis promené là-bas en attendant qu'on m'appelle. Un jour, deux jours, rien. J'ai essayé de nouer des contacts sur place. À une terrasse de café, je me suis fait passer à nouveau pour un journaliste et suis tombé sur deux anciens combattants islamistes qui avaient fui le terrain. Ils m'ont déconseillé de me rendre en Syrie, l'expérience qu'ils avaient eue du pays n'ayant rien à voir avec ce qu'on leur avait promis. Un Circassien m'a même proposé de faire la navette pour ramener Samy : pour 100 euros, il pouvait lui faire franchir la frontière à dos d'âne !

Le temps me paraissait extrêmement long. Le troisième jour, à 7 heures du matin, on est venu frapper à la porte de ma chambre : « Vous êtes la personne qui veut passer en Syrie ? Préparez vos affaires. On part dans dix minutes. » Il était turc et parlait anglais. « Quelqu'un va venir vous chercher, pas forcément moi. Attendez en bas. Il vous reconnaîtra. » Je suis descendu dans le lobby. Un homme a fini par entrer de telle manière que je ne pouvais pas ne pas le remarquer. Après m'avoir jeté un regard, il est ressorti et je l'ai suivi. Nous nous sommes arrêtés devant un minibus bondé. Il y avait des femmes en niqab noir, des enfants et des hommes en qamis. Il ne restait qu'une seule place : la mienne.

On m'a demandé les raisons de mon départ, j'ai répondu que j'allais retrouver mon fils, parti faire le djihad. Mon interlocuteur s'est subitement refroidi :

« On va te rappeler. » Et le bus est parti sans moi. Retour à la case départ, je commençais à être sérieusement agacé.

Deux jours plus tard, un deuxième homme est venu me voir à l'hôtel : « Prépare ton sac, quelqu'un va venir te chercher. » À nouveau, un minibus bondé et la même population voilée ou habillée en qamis. Des Arabes, des Tunisiens, des Marocains, des Turcs, des Saoudiens... Au son des voix et des accents, je me rendais compte que c'était vraiment très cosmopolite. Un Saoudien d'une vingtaine d'années écoutait des musiques et des anashids, ces chants patriotiques de Daech, il avait l'air gonflé à bloc.

GS : Comment s'est déroulé le passage de la frontière ?

AA : On va changer jusqu'à sept ou huit fois de voiture. La première fois, j'ai dit que je partais pour voir mon fils ; la seconde, Samy a dû les appeler. Nous sommes rentrés par la ville de Karkamis. Je me souviens qu'il faisait une chaleur insupportable, il était 13 heures et nous étions face à une grande plaine et à un champ d'arbres à pistaches. Notre véhicule s'est arrêté net : devant nous sur la piste, à trois cents mètres, un char militaire turc. On nous a demandé de sortir des voitures et de nous mettre en file indienne, puis nous avons attendu d'autres véhicules pendant plusieurs heures en plein cagnard. Il n'y avait pas un seul nuage dans le ciel et je m'attendais à tout, y compris à faire marche arrière.

Je suis finalement entré sur le territoire syrien le 27 juin, premier jour du ramadan et deux jours avant la proclamation du califat et de Daech, le 29 juin 2014. Au loin, j'ai vu un premier barrage avec le drapeau noir de l'État islamique. Un djihadiste en qamis avec une kalachnikov s'est approché de nous et nous a fait signe de passer. Nous avons ensuite repris une voiture en direction de Jarablus, ville frontière qui borde l'Euphrate. Dans ces paysages, j'avais l'impression de revenir sur les traces de mon passé, cette fois-ci avec Samy en toile de fond. C'était déroutant.

Nous sommes arrivés devant une caserne improvisée dans une ancienne école. Les femmes et les enfants ont été placés d'un côté, les hommes de l'autre. Quand nous sommes rentrés, une trentaine de barbus assis en tailleur étaient installés là, comme s'ils nous attendaient. Pour la première fois, j'ai eu peur. Ils nous ont lancé des « Allah Akbar » et l'un d'eux, plus terrifiant que les autres, s'est levé pour prendre ma tête entre ses mains et embrasser mon front. Je pensais dire que j'étais venu voir mon fils, mais je me suis tu, mon âge parlait pour moi. Notre groupe était accueilli par des encouragements et remerciements. Il y avait là un Allemand, probablement converti, et beaucoup d'Asiatiques, mais finalement, avec les barbes, difficile de différencier les origines.

GS : As-tu parlé à quelqu'un ?

AA : J'ai engagé la conversation avec celui qui m'avait embrassé. J'ai fini par lui parler de mon fils et lui demander si des Algériens se trouvaient dans la salle. Il m'a répondu qu'il y avait davantage de Marocains et de Tunisiens, mais qu'un père et son fils d'une dizaine d'années, assis à côté de moi, étaient algériens. Une sombre histoire, comme tant d'autres : après avoir vécu en Angleterre, le père avait rejoint Daech, tandis que sa femme irlandaise ainsi que sa fille de dix-sept ans avaient été enfermées dans une madafa[1]. Immédiatement arrivé en Syrie, le père avait déchiré tous les passeports britanniques de la famille.

GS : Comment était organisée cette « caserne » ? J'ai entendu dire qu'il y avait un émir dans chacune d'elles.

AA : Effectivement, nous sommes ensuite allés voir l'émir, sous-chef local de Daech. Entouré d'une dizaine de personnes armées jusqu'aux dents, il portait un qamis, une barbe et des cheveux longs. Quand un homme lui a expliqué que j'étais venu voir mon fils, j'ai donné le nom de guerre de Samy dont il m'avait parlé au téléphone, « Abu Quital » (« Père du combat »). « Dans quelle katiba[2] est-il ? » m'a-t-il demandé. Quand je lui ai donné le nom que Samy

1. Maison pour femmes.
2. Unité de combat.

m'avait communiqué, il m'a fixé et a fait sortir tout le monde de la salle. J'avais l'impression d'avoir donné le mauvais nom et j'ai eu peur d'être tombé entre les mains d'une faction rivale. Il m'a finalement pris dans ses bras avant de me dire : « Ton fils est dans la katiba des héros. Tu vois, les gens qui sont ici vont à l'entraînement et rêvent tous d'intégrer cette unité de combat, la meilleure. Reste donc dormir ici cette nuit. »

Profitant de ce crédit inattendu qui m'était accordé, j'ai demandé à contacter Samy. En l'absence de réseau, on m'a escorté en mobylette jusqu'à un taxiphone, kalachnikov au bras. À ce moment-là, l'appel à la prière a retenti et la rue s'est vidée en quelques secondes. C'était le crépuscule et il régnait une atmosphère de fin du monde.

— Samy, je suis à Jarablus.

— D'accord, je viendrai te chercher demain matin, a-t-il sèchement répondu.

— Très bien. Où es-tu ?

Je n'ai pas eu de réponse.

GS : Finalement, Samy ne te mettra aucune barrière pour parvenir jusqu'à lui, c'était un sacré pari.

AA : Oui. J'ai su par la suite qu'il était à Manbij, à trente-huit kilomètres de Jarablus. Je suis retourné à la caserne, qui était un endroit assez inhospitalier. Il y avait la queue aux toilettes, la nourriture était infecte. Quant à l'ambiance, elle n'était guère mieux – pas de musique, bien sûr. Assis par terre, les gens se racontaient leurs aventures, les raisons de leur engagement, ce qu'ils espéraient faire en Syrie. Soit des idéalistes, soit des fous. Je me baladais d'une pièce à une autre et découvrais différents groupes de nationalité. « Malgré ton âge tu es venu quand même, bravo ! » m'a respectueusement lancé l'émir. J'ai passé une nuit infernale et rêvé que Samy avait été blessé. C'était manifestement prémonitoire…

À 5 heures du matin, l'appel à la prière a retenti. Malgré la fatigue, nous nous sommes tous levés pour prier, tandis que l'émir a continué à dormir !

GS : Comment se sont passées vos retrouvailles avec Samy ?

AA : J'ai attendu jusqu'à 10 heures pour voir Samy arriver. En tenue paramilitaire, appuyé sur des béquilles, une kalachnikov sur l'épaule, il s'est approché de moi en souriant. Visage creusé, petit bouc, le regard perçant, il était là. Il semblait comme habité, sûr de lui, viril. Il avait pris au moins cinq ans.

Il m'a expliqué qu'il avait été touché par plusieurs balles dans la cuisse. Il était calme, froid, ce n'était pas les retrouvailles chaleureuses auxquelles je m'attendais. Nous sommes ensuite partis pour Manbij, à bord d'une jeep de toute évidence ravie à l'armée de Bachar al-Assad. Je regardais Samy mais les mots avaient du mal à sortir. Malgré sa métamorphose physique, lui non plus n'était pas plus loquace qu'avant.

GS : Où t'emmenait-il ?

AA : Nous allions à l'hôpital de Manbij, l'état-major de ce que l'on appelle le « service attentats pour les opérations extérieures » de Daech. Là, c'était l'apocalypse : des Français blessés, gémissants, les jambes coupées. Même à l'article de la mort, certains conservaient leurs armes à la main. L'un d'entre eux portait encore une ceinture d'explosifs d'où pendouillaient des fils. Certains étaient menottés à leur lit : des prisonniers de l'armée ou des Kurdes. Le médecin de l'hôpital ne faisait pas de distinctions : un blessé est un blessé. Nous avons passé là quatre jours, essentiellement pour que Samy soigne sa jambe. La seule activité consistant, cinq fois par jour, à se rendre dans une salle improvisée pour faire la prière. Samy se reposait et ne parlait pas beaucoup. Le deuxième jour, un de ses amis, un Marocain de trente ans, trépignait de joie. Je trouvais cela un peu bizarre, vu l'atmosphère de mort qu'il régnait ici. Nous étions en réalité le 28 juin 2014, la veille d'un très grand événement.

GS : La proclamation de l'État islamique le 29 juin par al-Baghdadi, qui s'autodésigne calife ? À partir de ce moment-là, Daech commence à devenir une organisation d'un type radicalement nouveau par rapport aux autres groupes djihadistes.

AA : Oui, et c'est là que j'ai donné à Samy la lettre de Mouna, espérant un revirement de situation. Il s'est retiré pour lire la lettre et nous n'en avons pas reparlé, l'ambiance était lourde.

Nous avons ensuite pris la route pour gagner l'autre bout de la ville et nous installer dans un ancien commissariat. Cette nuit-là, j'ai dormi sur la terrasse à la belle étoile, il faisait très chaud et j'avais besoin de souffler un peu. Je me sentais oppressé. Nous nous sommes levés à 3 heures du matin pour manger et prier, avant de nous rendormir.

Au matin, le califat a été proclamé. Vers 8 heures, j'ai entendu des coups de feu un peu partout dans la ville, j'ai cru au départ à une attaque. Cela ne semblait faire ni chaud ni froid à Samy, il regardait au loin, son arme sur l'épaule. Il avait une allure de vrai bon petit soldat, assuré mais blasé. Les hommes ont fini par se congratuler et Samy s'est plié à l'exercice en esquissant enfin un vague sourire. Je crois que nous avons échangé deux phrases en quatre jours. Alors qu'il parlait beaucoup avec sa mère et ses sœurs, avec moi, c'était le blocage.

Plus tard, nous nous sommes rendus dans un cybercafé et j'ai remarqué qu'il ne manquait pas une occasion de faire appliquer les préceptes de Daech. Il y a sermonné le propriétaire qui avait osé mettre de la musique. J'ai vu comme du mépris dans le regard de ce vieux monsieur qui a fini par couper la radio, se pliant à ce qu'il devait considérer comme un caprice de jeune ignorant.

J'avais le sentiment que rien n'avançait, on ne parlait pas avec Samy et tout cela me paraissait peine perdue. Je n'avais plus d'énergie pour essayer de le convaincre.

GS : Donc tu rebrousses chemin si vite ? Tu as l'impression que tu ne pourras pas faire revenir Samy ?

AA : Je crois que j'ai eu besoin d'aller jusqu'en Syrie pour m'en rendre compte. Il n'y avait pas de marche arrière possible de son côté ni d'amélioration de notre relation, hélas. En Syrie, j'ai perdu mon fils une seconde fois.

GS : Comment es-tu rentré ? Les adieux ont dû être déchirants.

AA : Il y avait un départ le lendemain vers 9 heures pour la frontière turque. Nous nous sommes embrassés. J'aurais bien pris une photo, mais je ne voulais pas le contrarier. Dans la voiture, on s'est fait un signe rapide et je ne me suis pas retourné. J'ai pensé que c'était peut-être la dernière fois que je le voyais. Il y avait du vent, de la poussière et des tombes sur le chemin. Devant les kilomètres qui défilaient, j'ai pensé au poème de Victor Hugo à sa fille Léopoldine : « Demain, dès l'aube, à l'heure où blanchit la campagne, je partirai... »

J'ai imaginé le pire : s'il lui arrivait quelque chose, où pourrais-je me recueillir ? Comment revenir avec ma femme et mes filles ? Comment faire mon deuil s'il mourait ici et qu'on ne retrouvait jamais son corps ? Nous étions le 1er juillet 2014.

Sitôt rentré à l'hôtel de Gaziantep, j'ai réservé un billet d'avion de retour pour Charleroi le surlendemain, via Istanbul. Je m'attendais à être arrêté par la police pour avoir été en Syrie, il n'en fut rien.

Je craignais le pire pour mon fils, et j'étais impuissant.

La vie d'avant

AA : Georges, j'imagine comme c'est difficile, mais peux-tu me raconter ce qu'il s'est passé pour toi le 13 novembre 2015, après avoir retrouvé Lola à la piscine ?

GS : En réalité, ce jour-là a été pour moi assez ordinaire. Il faudrait plutôt parler du 14 novembre 2015, car c'est seulement après minuit que j'ai réalisé qu'il avait été tout sauf ordinaire… Le soir du 13, au moment où le drame se déroule, je n'étais ni devant ma télévision ni devant mon ordinateur. Je n'ai pas regardé le match France-Allemagne ; je fais partie des Français qui, sans être totalement hermétiques aux joies du ballon rond, ne s'intéressent au football que tous les quatre ans, au moment de la Coupe du monde. J'ai très probablement consacré ma fin de soirée à la lecture, comme d'habitude, et ma femme et moi sommes allés nous coucher en ignorant ce qu'il se passait à Paris et à Saint-Denis.

Vers 1 heure du matin, la sonnerie du téléphone nous a réveillés. C'était mon fils Clément, il ne nous avait jamais appelés à une heure pareille. Ma femme Emmanuelle a décroché et, comme l'appel se prolongeait, je me suis levé. Elle a raccroché, a pris mes mains dans les siennes et résumé la conversation : des attaques terroristes dans Paris, de nombreux morts au Bataclan, Lola y était, son portable ne répondait pas.

Lola

AA : Peux-tu me parler de Lola ? Où est-elle née ? Quel caractère avait-elle ?

GS : Lola est née à Tarbes, dans les Hautes-Pyrénées. Nous avions déjà deux garçons et voulions une fille. Pour les deux premiers, nous n'avions pas voulu connaître le sexe avant la naissance ; pour le troisième, nous étions trop impatients. Après une alerte où nous avons cru que nous allions perdre le bébé, la grossesse s'est bien passée et Lola est venue au monde le 6 décembre 1986. L'accouchement a été rapide : le gynécologue n'a pas eu le temps d'arriver et la sage-femme, tout juste celui de mettre ses gants !

Lola a toujours été adorable : bébé comme enfant, adolescente comme jeune femme. Ce qui la caractérisait, et qui se poursuit au-delà de la mort, c'était sa capacité à nouer des amitiés profondes, et par-dessus tout fidèles, avec des personnes de grande qualité humaine. Extravertie, elle a toujours été attentive aux autres, y compris aux inconnus ; en hiver, elle n'hésitait pas à appeler le 115 pour signaler un homme qui dormait dans la rue. Elle avait une grande sensibilité aux autres et à leur souffrance.

Elle a aussi toujours fait preuve d'un dynamisme incroyable. En grandissant, elle s'est mise à un tas d'activités sportives et culturelles, c'était son côté aventurier. Elle avait le goût du risque et s'étourdissait d'activités, jusqu'à épuisement. Que ce soit dans des attractions vertigineuses à Disneyland, sur un cheval au grand galop en Égypte, ou sur ses rollers à Paris, elle fonçait et dévorait la vie comme si elle savait qu'elle ne durerait pas.

AA : De la manière dont tu décris Lola, elle semblait avoir quelque chose de solaire.

GS : En effet, beaucoup de personnes passionnantes gravitaient autour d'elle, elle était comme un aimant, pleine de bienveillance. On a toujours eu le sentiment qu'elle se sentait bien dans ses baskets, même dans des périodes difficiles comme l'adolescence. C'est de cette façon qu'on peut aider les autres, il faut s'aimer soi avant de pouvoir aimer les autres.

AA : Quelles étaient les relations entre vos trois enfants ? Un trio, cela peut être compliqué.

GS : Nos trois enfants ont des personnalités très différentes, ce qui est une source de richesse. Clément, l'aîné, est très affirmé et rationnel. Carré, c'est peut-être celui qui me ressemble le plus. Enfant, il était colérique, mais avait par ailleurs beaucoup d'humour.

Aujourd'hui, il est avocat, mais il a aussi une fibre artistique, qui l'a poussé à envisager les métiers du cinéma, d'autant qu'il avait ramé dans ses premières années d'études de droit. Il ne faisait pas beaucoup d'efforts et se dispersait, mais le jour où il a découvert les concours de plaidoirie, tout s'est débloqué : la comédie rejoignait le droit ! Très bon orateur, il avait tout pour réussir. Aujourd'hui, il est spécialisé, et ce n'est pas pour me déplaire, dans le droit du travail. Il a toujours eu un côté social.

Mon second fils, Guilhem, est un être à part. C'est un rêveur qui s'est passionné très tôt pour le dessin. Anticonformiste par excellence, il a toujours suivi ses idées. L'orthographe, par exemple, a longtemps été un calvaire car il ne voyait pas pourquoi il devait écrire en respectant des règles, mais lorsqu'il en a compris l'intérêt, il n'a plus fait une seule faute. Quand nous allions au ski et qu'il prenait des cours, tout le groupe tournait à gauche et lui… à droite. Je crois qu'il a finalement été l'original de la famille, le rebelle. Aujourd'hui, il dessine et raconte en images des histoires, dans un univers fantastique. C'est d'autant plus devenu un refuge pour lui depuis la disparition de sa sœur en 2015.

Les trois ont été très complices. On avait d'ailleurs planifié des naissances rapprochées dans ce but. Même si le principe du trio, comme tu le sous-entends, c'est souvent deux contre trois ! Quand ils étaient enfants, Guilhem basculait d'un côté ou de l'autre selon les moments. Clément jouait aux jeux vidéo, les autres le regardaient. C'était lui le chef, si je puis dire, il décidait du programme. Lorsqu'ils se retrouvaient tous les trois, nous les écoutions, Emmanuelle et moi, sans toujours comprendre de quoi ils parlaient…

Nous étions heureux d'apprendre des choses grâce à eux et de voir leur complémentarité, leur amour. Lola nous faisait tous rire, par ses traits d'esprit d'une part, mais aussi parce qu'elle avait un rire très sonore, reconnaissable entre tous.

Le Sud

AA : Tu m'as dit que Lola était née dans les Hautes-Pyrénées. Êtes-vous originaires de cette région ?

GS : Ma femme Emmanuelle et moi habitions à Béziers, dans l'Hérault, lorsque nous nous sommes rencontrés ; mais c'est à Montpellier, où nous suivions des études de médecine au milieu des années 1970, que nous sommes tombés amoureux et que nous avons commencé à vivre sous le même toit. Nous formons maintenant un couple depuis plus de quarante ans, ce qui n'est pas si fréquent de nos jours ! C'est d'ailleurs grâce à ma femme, et assez tôt dans notre vie commune, que j'ai voyagé pour la première fois dans le monde arabe. Enseignants, les parents d'Emmanuelle avaient été coopérants dans la jeune Tunisie indépendante jusqu'en 1966. Ils m'ont toujours dit s'être sentis mal à l'aise d'avoir, en tant qu'expatriés français, un salaire beaucoup plus élevé que leurs collègues tunisiens. Au début de notre relation, Emmanuelle a souhaité retourner avec moi sur les lieux de son enfance. La Tunisie de Bourguiba était alors relativement libre et ouverte par rapport à d'autres pays des rives méditerranéennes, où régnaient rois, dictateurs et régimes militaires. Mais l'ouverture était relative : nous avons dû prétendre être mariés pour partager une chambre et nos hôtes ont dû faire semblant de nous croire. Quoi qu'il en soit, je ne pense pas avoir beaucoup creusé l'aspect politique à l'époque, mais j'ai découvert un univers qui n'a cessé de me fasciner depuis.

Sur le plan professionnel, après quelques expériences en psychiatrie, aux urgences, en gynécologie-obstétrique et en gastro-entérologie, j'ai fait, en sixième année, un stage en médecine interne qui a scellé mon destin. Nous étions en 1981 et le patron du service, le professeur André Mandin, était un personnage singulier : un homme charismatique, très cultivé, grand clinicien, pédagogue, humaniste… mais aussi autocrate et caractériel. Mon stage au sein de son service ne devait durer que quatre mois, et j'y ai finalement été interne plus de deux ans. J'ai d'ailleurs fait preuve de ténacité, car ce n'était pas facile tous les jours ! Ce professeur un peu allumé m'a entraîné vers la santé publique et m'a encouragé à faire une thèse sur la fréquence et les causes des handicaps chez les personnes âgées.

En 1982, le ministre de la Santé de François Mitterrand, Jack Ralite, a eu la bonne idée de créer les observatoires régionaux de santé (ORS), chargés d'identifier les grands problèmes de santé dans les régions françaises. L'ORS du Languedoc-Roussillon, région vieillissante sur le plan démographique, a mis en place une enquête sur la santé des personnes âgées, ce qui collait parfaitement à mon sujet de thèse. J'ai donc été recruté comme chargé d'études. Tout en conduisant cette enquête, je me suis spécialisé en parallèle dans la santé publique.

AA : C'est un beau parcours ! Comment vous êtes-vous ensuite établis à Tarbes ?

GS : Clément, notre premier enfant, est né en juillet 1982, pendant que je faisais ma thèse. Cette naissance m'a obligé à prendre des décisions sur le plan professionnel, mon épouse étant toujours étudiante. Je n'avais aucun avenir à l'hôpital, puisque je n'avais pas passé le concours de l'internat. À l'ORS, mon statut était précaire. Mon professeur de santé publique, René Baylet, m'a alors conseillé de passer le concours de médecin inspecteur de la santé, ce que j'ai fait avec succès fin 1983. Je suis donc devenu fonctionnaire, ce qui n'est pas la façon la plus lucrative d'exercer la médecine, mais ce qui avait l'avantage d'assurer la sécurité financière de la famille. C'était d'autant plus nécessaire que mon épouse attendait Guilhem, notre second fils.

En revanche, la voie que j'avais choisie comportait un certain nombre de contraintes, notamment géographiques. Il y avait tout d'abord une année de formation à l'École nationale de la santé publique à Rennes, avant de pouvoir choisir un poste. Entre cette formation, en 1984, et ma première affectation, j'ai par ailleurs dû effectuer une année de service national, au cours de laquelle j'ai été mis à disposition par l'armée au service médical d'urgence et de réanimation de l'hôpital de Sète. C'est en 1986 que j'ai enfin pu prendre mon premier poste de médecin inspecteur à Tarbes.

Entre l'Algérie et la France

GS : Et toi, Azdyne, parle-moi de ta famille, je suis curieux d'en savoir davantage sur ta femme et tes enfants.

AA : J'ai rencontré Mouna en 1979 dans un avion Annaba-Paris. Assise à côté de moi, elle était belle et lisait le Coran en français. Je ne sais pas si c'était par peur de l'avion ou par conviction. Je l'ai observée discrètement pendant le voyage et nous ne nous sommes parlé qu'une fois arrivés sur le tarmac, à Paris. Elle rentrait à Nancy dans sa famille et j'ai pris mon courage à deux mains pour lui proposer de l'accompagner à la gare de l'Est. À ce moment-là, je travaillais dans le cinéma à Paris, je courais après des illusions, je draguais beaucoup et n'avais jamais dit à une femme que je l'aimais. Allait-elle être la bonne ? Après l'avoir embrassée sur le quai de la gare, je me suis confié à un ami : « C'est ma future femme ! » Dans un éclat de rire, il m'a répondu : « Azdyne, tu es un infatigable coureur de jupons… Tu la connais depuis quinze minutes, dans trente, tu l'auras oubliée ! »

GS : As-tu eu de ses nouvelles rapidement ensuite ?

AA : Une fois rentrée chez elle, elle m'a envoyé une carte pour me remercier. De retour de San Francisco, où je m'étais rendu en vacances après un long-métrage, j'ai trouvé la carte, mais n'ai pas osé la contacter. Elle m'a ensuite adressé un courrier et c'est là que nous sommes convenus de nous revoir. Je suis allé lui rendre visite en Lorraine, où elle habitait avec sa famille et nous avons commencé à nous fréquenter. Nos quatorze ans d'écart ne nous dérangeaient pas. Elle était secrétaire médicale et, de mon côté, je gagnais bien ma vie dans le cinéma, je vivais dans le XVIe arrondissement à Paris et roulais en voiture de sport. J'allais donc régulièrement la voir et nous nous sommes mariés un an plus tard, en 1981.

GS : Vos enfants sont-ils arrivés rapidement ?

AA : Alya est née trois ans plus tard, en 1984, à Paris. Nous vivions dans un petit studio que je louais dans le XVIe arrondissement et quand Samy est arrivé en 1987, nous avons déménagé dans le XVe. Quand la petite dernière, Maïssa, est née en 1993, il a fallu trouver plus grand. Je n'avais plus les moyens de rester à Paris, aussi sommes-nous partis à Drancy, en Seine-Saint-Denis, où nous habitons encore aujourd'hui.

GS : D'où vient Mouna ? Est-elle née en France ?

AA : Ses parents étaient algériens mais elle est née et a grandi en France ; elle avait de fait à la fois un côté traditionnel et un côté moderne. Je n'étais pas souvent là, je bougeais beaucoup. Mon métier me contraignait à pas mal de déplacements et je sais que cela n'a pas toujours été facile pour elle, surtout avec l'arrivée des enfants.

L'absence d'un père

GS : Tu es plutôt baroudeur ou fuyant ?

AA : Pour moi, la vie, c'est le mouvement. J'ai travaillé dans un hôtel quatre étoiles à Paris, près des Champs-Élysées, avant de cumuler quelques jobs dans le quartier et d'atterrir par hasard dans le cinéma. Le tout grâce à une amie, Muriel, qui travaillait dans une agence d'intérim. Le temps d'une formation expresse, Muriel m'a trouvé un contrat dans une maison de production de films, Technisonor, l'équivalent de Radio Monte-Carlo pour la télévision. La société était située rue Magellan, entre l'avenue Marceau et la plus belle avenue du monde, c'était un autre monde.

GS : Tu te retrouves donc plongé dans le milieu du cinéma un peu par hasard ?

AA : Oui, j'étais standardiste, je faisais l'interface entre les équipes : les producteurs, les acteurs, les techniciens, etc. J'ai atterri sur un film de Claude Chabrol, qui m'a mis à l'aise dès notre première rencontre. Je lui ai dit : « Je suis content de vous rencontrer, monsieur Chabrol. » Il m'a répondu : « Tutoie-moi, mon petit gars ! Ça sera plus facile. » Je me suis senti fier et heureux.

Rapidement, je suis devenu assistant monteur pour le feuilleton *Les Chevaux du soleil* de Jules Roy, avant de passer à la régie, puis à la caméra en tant qu'assistant. J'ai même fait quelques petits rôles de comédien ! J'étais fier d'avoir atteint ce monde-là sans rien ni personne, j'avais enfin ma revanche après des années à droite à gauche et je roulais en Simca Bagheera. J'ai même fini par monter ma boîte de production, « Ciné film production », je sortais de la torpeur de mes jeunes années et voyais des centaines de films par an. C'était une époque de frénésie.

GS : Samy ne t'a donc pas beaucoup vu ? Étais-tu un père absent ?

AA : Probablement, oui, tu as raison. J'avais besoin de bouger, c'était une question de survie pour moi. Ma femme ne m'a par ailleurs jamais vraiment arrêté et, avec le recul, je le lui reproche parfois. Peut-être qu'un garde-fou m'aurait calmé et que j'aurais été plus présent pour tout le monde, à commencer par Samy.

GS : Ton histoire me fait penser à celle du grand explorateur Théodore Monod. Sa famille l'admirait, mais, s'il aimait son père, son fils lui reprochait souvent d'être absent. Car ce que Monod aimait avant tout, c'était arpenter le désert.

Aujourd'hui, quand je vois l'attention que je porte à ma petite-fille, j'ai le sentiment d'avoir parfois été détourné de mes propres enfants par le travail. Ils ne m'ont jamais rien reproché, mais il est vrai que notre histoire familiale a globalement été dictée par des mutations que j'ai choisies pour ma carrière. Je pense avoir été un père plutôt présent, j'étais là le soir et le week-end et, si j'avais eu l'opportunité de partir au bout du monde, je ne l'aurais pas fait sans ma famille. Il m'est arrivé de quitter mes enfants pour quelques jours à l'occasion de missions – ou même une fois pour une croisière en voilier –, mais je n'aurais jamais pu m'éloigner d'eux plusieurs semaines d'affilée. Je culpabilisais déjà que ma femme ait mis sa carrière entre parenthèses pour me suivre et s'occuper des enfants… En cela, je ne suis pas vraiment irréprochable non plus.

AA : C'est difficile d'être parent. Il n'y a pas d'école et on ne réussit pas à tous les coups. Je culpabilise parfois aussi en pensant que j'aurais peut-être dû rester, mais en même temps, j'essayais de faire au mieux pour eux. Leur ai-je manqué ? Oui, peut-être. Samy a-t-il mal tourné à cause de moi ? Personne ne le saura jamais. Les manques que j'ai éprouvés dans ma jeunesse ont conditionné mon avenir : j'étais frustré et voulais m'en sortir.

GS : Je ne suis pas sûr qu'on puisse établir un lien unique entre ton absence et l'évolution de Samy, la radicalisation est un phénomène complexe. T'avait-il fait remarquer ce manque ?

AA : J'en ai justement discuté avec ma femme dernièrement, ce que nous n'avions pas fait depuis longtemps. Il y avait un malaise clair chez Samy, qui se confiait souvent à sa mère. Je n'ai certainement pas assez prêté attention à ces petits manques, qui se sont transformés ensuite en humiliations d'une vie.

La vie à l'étranger

AA : Et toi, Georges, tu disais que tu as été muté plusieurs fois. Où avez-vous vécu ?

GS : Les enfants ont passé leurs premières années à Tarbes. Nous les emmenions tous les week-ends à la montagne. Les Pyrénées centrales sont un paradis pour les amoureux de la nature. L'été, nous faisions de la randonnée, l'hiver, du ski. Nous habitions dans une maison avec un jardin… le bonheur quoi ! Professionnellement, c'était moins idyllique. Pour me suivre, ma femme Emmanuelle avait pris un poste de médecin dans un centre pour malades alcooliques, où elle n'était pas très heureuse. De mon côté, mon travail me plaisait, mais j'avais envie de découvrir d'autres horizons. Nous avons donc quitté les Hautes-Pyrénées, en juin 1991, pour nous installer en Martinique, où j'avais obtenu ma mutation à l'Inspection régionale de la santé des Antilles-Guyane. Sur place, j'ai essentiellement travaillé à l'organisation des soins sur l'île, tandis qu'Emmanuelle a pris un poste de médecin scolaire et fait des remplacements de médecine générale.

C'était une aventure familiale et nous nous sommes beaucoup baladés pendant deux ans et demi. Nous n'habitions pas à Fort-de-France, mais « en commune », comme on désigne là-bas les villages. Le nôtre s'appelait Ducos. Nous avons gardé notre lien avec la nature, une nature différente, faite de mer, de plages, de récifs coralliens, mais aussi de forêts tropicales et de volcans. Des amis martiniquais passionnés de voile nous ont emmenés en croisière à Sainte-Lucie et Lola a adoré ce voyage. Elle jouait aussi beaucoup aux jeux vidéo avec ses frères et aimait les « trucs de garçons ». Elle riait tout le temps, adorait ce que l'on faisait et ne se plaignait jamais.

AA : Comment s'est passée votre « intégration » à la Martinique ? As-tu ressenti ce que nous, immigrés en France, avons ressenti un jour ou l'autre ?

GS : Nous nous sommes liés d'amitié avec des Antillais, mais il est vrai que l'on est facilement catalogué en fonction de la couleur de sa peau. Pour les enfants, le dépaysement était important, et l'école a été un repère. Lola est entrée à l'école primaire quand nous sommes arrivés et je crois que les enfants ont eu beaucoup de plaisir à vivre cette expérience, même si cela a été plus dur pour les garçons, les relations entre élèves – voire avec les instituteurs – étant parfois violentes. Ils avaient tout de même de très bons copains dans le quartier. Lola n'a, je crois, eu aucune difficulté. Elle n'était pas encore en âge de juger, et a toujours gardé une grande capacité à se faire des amis.

De mon côté, le fait d'être perçu dans ma profession comme un représentant de l'État n'a pas toujours été simple, celui-ci étant jugé distant, centralisateur, condescendant, voire colonialiste et raciste. Emmanuelle a, elle, peut-être été davantage témoin des difficultés sociales de la Martinique, que ce soit à travers son travail de médecin scolaire, où elle voyait parfois des enfants victimes de violences parentales, ou dans ses remplacements qui l'amenaient la nuit dans des zones à la limite des bidonvilles.

AA : Êtes-vous rentrés en France après la Martinique ?

GS : Non, de 1993 à 1998, nous sommes allés vivre en Égypte et ce furent cinq années tout aussi surprenantes, dans un cadre bien différent. J'avais noué des contacts avec la Mission française de coopération basée à Sainte-Lucie. Professionnellement, en Martinique, j'étais principalement chargé de l'organisation des soins, alors que mon intérêt se portait plutôt vers les actions de prévention. J'avais donc envie de changer et un collègue du ministère des Affaires étrangères m'a appelé un jour pour me proposer d'animer la coopération médicale franco-égyptienne au Caire. J'ai dit oui tout de suite (avec l'accord de ma femme bien sûr !). Je ne suis pas aussi spontané et impulsif que toi, mais une des sagesses – tirée d'un aphorisme d'Hippocrate – que j'ai héritées de mon maître, le professeur de médecine André Mandin, dit : « L'occasion est fugitive. » Il faut donc savoir la saisir quand elle se présente.

L'Égypte a toujours été très présente dans mon imaginaire, une fascination acquise avec le programme d'histoire de sixième, les péplums de Cecil B. DeMille, *Lawrence d'Arabie*, mais aussi *Astérix et Cléopâtre* ! Quant à Emmanuelle, même si la période d'attentats en Égypte lui semblait peu propice, elle était tentée par l'idée de vivre dans un pays arabe et m'a encouragé à partir.

AA : Je me souviens de cette époque et de l'attentat de l'hôtel Semiramis en 1993 au Caire.

GS : Oui, le 26 octobre 1993, un professeur de droit français, Fernand Boulan, et deux de ses collègues américains ont été abattus à l'arme automatique dans ce grand hôtel, en plein centre du Caire. Les autorités égyptiennes ont alors prétendu, pour minimiser l'affaire et ne pas effrayer les touristes, qu'il s'agissait d'un geste isolé, perpétré par un malade mental. Mais quatre ans plus tard, l'auteur commettra, en compagnie de son frère, un second attentat qui tuera neuf touristes allemands et leur chauffeur égyptien sur la place Tahrir, devant le musée du Caire. Les deux frères furent condamnés à mort et reçurent leur condamnation en criant : « Allah Akbar ! »

Lorsque nous arrivons en novembre 1993, l'attaque de l'hôtel Semiramis vient donc de se produire. Nous quittons notre petit coin tranquille sous les tropiques pour nous plonger en Égypte, là où le terrorisme islamique se met à frapper.

AA : Je ne sais que te dire, c'est fou…

GS : C'est sûr, surtout quand on connaît la suite de l'histoire vingt ans plus tard. Au début, nous étions un peu inquiets, surtout Emmanuelle, mais nous nous sommes habitués. Les années qui ont suivi notre arrivée ont été plutôt calmes, sans attaques contre les touristes en tout cas. Pendant ce temps, la France, elle, connaissait la vague d'attentats perpétrés par le Groupe islamique armé algérien, qui a culminé en juillet 1995 à la station Saint-Michel du RER. La bouteille de gaz bourrée d'écrous qui a explosé ce jour-là a fait huit morts et plus de cent blessés. On se disait que, finalement, on ne risquait pas beaucoup plus au Caire qu'à Paris…

AA : Avez-vous tout de même pu visiter l'Égypte ? C'est un pays que je connais bien, j'y ai vécu aussi.

GS : Oui, du nord au sud et d'est en ouest ! La seule zone réputée dangereuse était la Moyenne-Égypte, entre le sud du Caire et le nord de Louxor. Le train pour Louxor étant déconseillé, nous y allions en avion, comme à Assouan. Nous avons aussi fait une croisière en bateau entre ces deux villes magiques, et une autre sur le lac Nasser, créé par le haut barrage, jusqu'au temple d'Abou Simbel. Le reste du pays, nous l'avons découvert en voiture, roulant parfois des centaines de kilomètres dans le désert pour rejoindre le Sinaï – qui n'était pas alors le repaire d'islamistes qu'il est devenu –, les oasis du Sud, Bahariya, Farafra, Kharga, le désert blanc, Alexandrie, El Alamein et son cimetière militaire si émouvant, Marsa Matruh, où Rommel avait établi son quartier général en 1942, et l'oasis de Siwa, tout près de la frontière libyenne. Peut-être connais-tu aussi tous ces lieux d'ailleurs ?

AA : Siwa ? C'est bien l'oasis où l'on trouve des Berbères ?

GS : Exact ! Le siwi est un dialecte berbère, que parlait d'ailleurs un de nos amis archéologues anglais, dont l'épouse donnait des cours d'anglais à Lola. Siwa est aussi le seul endroit en Égypte où l'on mange du couscous. C'est l'un des plus beaux sites du monde, une immense palmeraie au bord du grand erg, le désert de sable aux dunes immenses. Des dizaines de sources y forment des bassins d'eau gazeuse, dans lesquels on peut se baigner. Au centre, une forteresse en ruine fond un peu plus à chaque pluie, car elle est faite de boue séchée. Cela dit, il n'y pleut en moyenne que tous les trente ans ! Autrefois, les habitants reconstruisaient après chaque pluie ; maintenant, ils ont déménagé dans de petites baraques faites de briques et de béton, moins charmantes, mais sans doute plus faciles à vivre.

AA : Avez-vous tout de même vu des pyramides ?

GS : Oui, et pas seulement les trois grandes pyramides voisines du Sphinx sur le plateau de Gizeh, mais aussi toutes celles qui s'échelonnent sur la rive ouest du Nil – la rive des morts –, entre Meïdoum et Abu Rawash, en passant bien sûr par le fabuleux site de Saqqarah, que l'égyptologue Jean-Philippe Lauer a passé sa vie à explorer et à reconstruire, pierre par pierre. Nous avons même eu la chance de visiter Saqqarah en sa compagnie, avant sa mort en 2001, à quatre-vingt-dix-neuf ans. Je dois dire d'ailleurs que les enfants étaient davantage intéressés par les balades à cheval autour des pyramides que par les récits des égyptologues ! Lola était particulièrement enthousiasmée par ces chevauchées, elle n'hésitait pas à partir au grand galop. Elle était plutôt douée pour maîtriser les pur-sang arabes, assez petits, mais pas commodes. Je dois dire que galoper sur le plateau de Gizeh à l'ombre des pyramides était extraordinaire !

Mais je crois que ce qui nous plaisait le plus en Égypte, c'était la rue, la vieille ville du Caire avec ses mosquées fatiguées, ses échoppes colorées et délabrées, ses odeurs, sa population qui parvient toujours à rire et à danser malgré la misère. Tout était vie en Égypte : il se passait toujours quelque chose dans la rue ou ailleurs. Je sais que beaucoup sont repoussés par le chaos, le bruit et la poussière, mais nous, nous étions comme des enfants émerveillés de tout. Il en reste des souvenirs gravés à jamais.

AA : En as-tu profité pour apprendre l'arabe ? C'est le pays rêvé pour cela.

GS : Emmanuelle a mieux appris l'arabe que moi. Mes interlocuteurs professionnels parlaient anglais ou français. Pourtant j'aime beaucoup l'arabe du Caire, c'est un langage vivant, très imagé. Malheureusement, les enfants ne l'ont pas appris à l'école, le lycée français du Caire n'étant pas très ouvert sur l'apprentissage de l'arabe, ce qui est dommage. En revanche, ils ont très bien appris l'anglais, car nous baignions dans un milieu d'expatriés et ils avaient de nombreux amis anglophones.

AA : Comme toi, j'ai aimé la vie égyptienne, le quotidien y était un spectacle permanent. En as-tu retiré beaucoup professionnellement ?

GS : L'expérience a été à la fois passionnante et décevante. Je montais des projets entre des institutions françaises et égyptiennes dans le but de faire progresser le système de santé égyptien, mais aussi de renforcer les liens entre nos deux pays et d'aider au maintien de la francophonie. J'avais envie d'être utile et l'impression de l'être. J'ai travaillé avec le SAMU français et le ministère égyptien de la Santé pour améliorer la prise en charge des urgences et j'ai aidé Médecins sans frontières à s'implanter en Égypte pour apporter de l'aide aux enfants travailleurs et aux enfants des rues du Caire. Mais si les projets que nous avons menés étaient louables, aucun n'a véritablement abouti du fait de la corruption, de l'inertie et des aléas politiques. J'imagine que cela n'a pas beaucoup changé depuis, tout comme la réputation de l'Égypte d'être une pyramide bureaucratique… C'est ce que j'ai regretté le plus ; en même temps, j'ai beaucoup appris sur la coopération et l'aide au développement.

AA : Comment s'est passée la vie des enfants là-bas ? Était-ce plus difficile de s'intégrer qu'en Martinique ?

GS : Les enfants étaient scolarisés au lycée français du Caire, qui se trouvait alors à Maadi, une cité-jardin très résidentielle. C'est donc là qu'on avait décidé d'habiter. On vivait dans un appartement confortable gardé à l'entrée par un « baouab », un portier qui venait de Nubie, comme presque tous ses confrères. Par rapport aux standards du Caire, c'est un quartier chic, avec une population très diversifiée. Nous avions des amis français, américains, anglais ainsi qu'un Syrien exilé politique. Le lycée lui-même n'avait d'ailleurs qu'une petite moitié d'élèves français ; il y avait différentes nationalités, dont beaucoup d'Égyptiens. Mon fils Clément avait un copain palestinien, dont le père avait été garde du corps de Yasser Arafat.

AA : Figure-toi que je connais Maadi ! À l'origine, c'était une ville nouvelle construite par une compagnie anglaise avec des normes très précises. C'est une des rares cités de l'agglomération cairote, voire la seule aujourd'hui, à être tracée au cordeau, en forme de damier. Il y a aussi beaucoup d'arbres, ce qui est malheureusement inhabituel au Caire.

GS : Oui, une ville bien calme… où est né Ayman al-Zawahiri, le chef d'Al-Qaïda ! À l'origine, il était médecin, comme ses parents. Hosni Moubarak a aussi été incarcéré dans la prison de Maadi après la révolution.

AA : Quels ont été tes plus beaux souvenirs de Lola là-bas ?

GS : Comme toujours, elle a su se faire des amis et elle était très heureuse à Maadi, dans le quartier et au lycée français. Elle aimait beaucoup faire du cheval, que ce soit aux pyramides ou au Maadi Sporting Club, où elle prenait des cours d'équitation. Elle a aussi beaucoup apprécié la nature : les virées lointaines dans le désert avec les Bédouins lorsque nous plantions la tente dans les oasis ou au creux des dunes ; les sorties du week-end au wadi Digla (un oued), où nous avons un jour failli marcher sur une vipère à corne ; la mer Rouge, les coraux, les sessions de tuba pour voir les poissons tropicaux… Nous allions surtout à Charm el-Cheikh et à Ras Mohammed, dans la pointe du Sinaï, mais nous avons visité tout le littoral du golfe d'Aqaba, jusqu'à Eilat en Israël, où nous nous sommes rendus à pied par le poste frontière de Taba. Nous sommes aussi allés en Jordanie, où nous avons vu Petra, Jerash, la forteresse des croisés à Al-Karak et le mont Nébo, d'où nous avons aperçu la mer Morte et la Terre promise, comme Moïse. Dans tout cela, ce qui plaisait le plus à Lola, c'étaient les rencontres humaines. Elle a d'ailleurs gardé ce goût du voyage une fois adulte, de la Corée aux États-Unis, en passant par Chypre et Israël, de manière plutôt *roots*, en dormant chez l'habitant. Elle m'impressionnait par cela, moi qui aime voyager de manière plus planifiée et confortable.

AA : Avez-vous ensuite quitté l'Égypte à cause de la reprise des attentats ?

GS : Non, c'était pour des raisons professionnelles, Emmanuelle était médecin au lycée français, mais elle avait envie de reprendre sa carrière qu'elle avait mise entre parenthèses pour me suivre et garder du temps libre pour les enfants. En Égypte, elle avait suivi des formations en santé publique et réussi le concours de médecin inspecteur. À quelques années d'écart, elle a donc suivi ma trace et nous sommes rentrés en France pour qu'elle puisse effectuer son année de formation à l'École des hautes études en santé publique à Rennes.

Notre dernière année en Égypte a tout de même été marquée par le terrorisme. Le massacre de Deir el-Bahari, le 17 novembre 1997, au temple d'Hatchepsout à Louxor, nous a bouleversés. Ce jour-là, un commando islamiste a tué plus de soixante touristes, dont trente-six Suisses. Des innocents pris au piège et sans échappatoire possible quand on connaît la configuration du lieu : des terrasses en plein soleil, sans refuge face à des terroristes tirant depuis les hauteurs.

Parmi tous les attentats dont j'entendrai parler jusqu'à ceux de Paris en janvier 2015, c'est celui qui m'a le plus affecté, car mes collègues de l'ambassade qui avaient rendu visite aux survivants dans les hôpitaux nous ont rapporté des récits terribles. On a appris par la suite que les terroristes étaient des étudiants en médecine. Comment de futurs médecins ont-ils pu commettre cela ? Comment ce phare de la civilisation arabe qu'avait été l'Égypte pouvait-il être le théâtre d'une telle barbarie ? On n'a jamais fait toute la lumière sur cet attentat, les terroristes ayant trouvé la mort durant leur fuite, dans des circonstances peu claires. Difficile de dire s'ils ont été tués par la police ou s'ils se sont suicidés. On a retrouvé près d'eux des tracts de la Gamaa al-Islamiya (le djihad islamique), mais l'enquête a été classée sans suite en 2000.

AA : Quand vous êtes rentrés en France, tes enfants étaient-ils objets de curiosité à l'école ?

GS : Très curieusement, quand nous sommes rentrés à Paris, leurs camarades n'étaient pas plus intéressés que cela par leur vie en Égypte. On leur faisait surtout sentir qu'ils venaient de loin et qu'ils n'avaient pas les codes des écoles parisiennes. Ils ne savaient pas parler en verlan ! Pour Lola qui n'avait que douze ans, la transition a été plus facile que pour les garçons. Grandir n'est pas toujours simple…

Parle-moi de Samy à ton tour, a-t-il été un enfant heureux ?

Du XVIe arrondissement à Drancy

AA : Mouna et moi étions aux anges d'avoir Samy, car c'était un garçon, le premier. Dans les familles musulmanes, c'est toujours une joie. Je sais que pour toi, ça a été l'inverse, puisque quand Lola est arrivée, elle était votre première fille.

GS : Et la dernière…

AA : C'est vrai.

GS : Qu'a changé l'arrivée de Samy dans votre vie ?

AA : Après sa naissance, nous avons déménagé du XVIe au XVe arrondissement. L'appartement était plus grand, mais j'ai dû faire des travaux pour le remettre en état. Dans la boutique au rez-de-chaussée, j'ai ouvert un commerce de prêt-à-porter, puis une crémerie.

De ces premières années, je me souviens particulièrement de la circoncision de Samy. Il avait deux ans et demi et nous l'avons amené à l'hôpital. Je crois que l'intervention a été traumatisante pour lui ; avec ses mots d'enfant, il nous hurlait d'arrêter. Je lui ai expliqué que, dans notre religion, la circoncision était un signe d'alliance avec Dieu.

Quand Samy a eu trois ans, en 1989, nous avons déménagé à Drancy, en Seine-Saint-Denis. J'étais ravi de m'y installer, car l'appartement était spacieux et agréable. La municipalité était communiste, sous l'égide de Jean-Claude Gayssot qui, en 1997, deviendrait ministre dans le gouvernement de Lionel Jospin.

GS : Tu passes du XVIe au XVe arrondissement, puis au 93 ? Le changement a dû être déroutant…

AA : À vrai dire, Georges, je ne peux pas dire que les gens étaient agréables dans le XVIe, et, à Drancy, j'ai retrouvé mes racines algériennes. Je m'y suis fait des amis avec qui je pouvais me sentir en confiance et Samy retrouvait leurs enfants au judo. Comme il était introverti, le judo lui permettait de se défouler. À la maison, il parlait peu ; au sport, il se libérait. Au football, il aimait le collectif et s'est fait de nombreux copains qu'il a gardés jusqu'à l'âge adulte, voire jusqu'à… son départ en Syrie. À cette époque-là, je voulais qu'il devienne footballeur.

GS : Quelle idée !

AA : Et ce n'est pas tout : j'ai voulu ensuite qu'il soit pilote de ligne ! Je lui apprenais le vocabulaire aéronautique, « alpha, bravo, charlie »… Je lui avais aussi appris toutes les capitales du monde, cela l'amusait beaucoup. En revanche, j'ai échoué à l'intéresser à la musique. C'est peut-être mon côté dispersé, mais je voulais lui faire découvrir des choses variées. À l'école primaire, c'était d'ailleurs un enfant gentil, doux, qui ne posait pas de problème.

GS : Tu l'as voulu footballeur, pilote… Peut-être étaient-ce tes rêves plus que les siens ? A-t-il eu envie ensuite de poursuivre ce que tu as entrepris avec lui ?

AA : C'était mon but au départ, je voulais qu'il soit curieux et assoiffé de connaissances, mais les enfants passent d'une chose à l'autre…

GS : Comme toi !

AA : Peut-être n'ai-je jamais vraiment grandi et ai-je refusé d'être totalement adulte… C'est possible. En essayant d'intéresser mes enfants à diverses choses, j'ai, dans tous les cas, voulu leur éviter ce que j'avais connu : l'ignorance, la pauvreté, les difficultés. Je m'en étais sorti et voulais mettre tous les atouts de leur côté.

L'islam

GS : Leur as-tu enseigné ta religion ?

AA : Je leur ai transmis des valeurs françaises et algériennes, plus que « musulmanes ». Ma femme et mes filles n'ont jamais été voilées, je partais du principe que nous étions en France et qu'il fallait s'adapter au pays qui nous accueillait. Mais, comme je te le disais, Mouna a tout de même gardé un côté traditionnel positif ; elle lisait parfois le Coran en souvenir de son père qui lui avait montré le chemin de la religion.

Pendant le ramadan, il nous est arrivé plusieurs fois de regarder le film *Le Message*, de Moustapha Akkad, avec Anthony Quinn. J'expliquais à Samy qu'il y avait eu en réalité cent vingt-quatre mille prophètes : Jésus, Moïse et tant d'autres, mais je voyais bien qu'il n'était pas plus intéressé que cela. Autour de nous, il n'y avait pas de femmes voilées ni de familles très pratiquantes et c'est peut-être cela qui l'a gêné par la suite. Quant à ses amis, ils étaient d'origines diverses.

GS : Penses-tu qu'il ait fait l'objet de discriminations à un moment ou à un autre, soit en tant qu'Arabe, soit de la part de ses amis musulmans en raison de votre pratique plutôt minimaliste de l'islam ?

AA : Il s'entendait bien avec tous ses camarades et ne s'est jamais plaint d'avoir été traité de « sale Arabe ». Et si l'on était restés dans le XVIe arrondissement de Paris ? C'est une question qui me hante encore aujourd'hui. À Drancy, il a toutefois vécu dans la mixité et la tolérance, qui est aussi une caractéristique de l'islam. Nous vivions dans un immeuble de quatre étages où, d'un palier à un autre, on trouvait des familles d'origines marocaine, algérienne, tunisienne, roumaine, française, portugaise… Richard, notre voisin de palier dont je t'ai déjà parlé, un juif séfarade avec qui nous nous entendions à merveille, nous a largement protégés des curieux et des médias après les attentats de 2015. Avec lui, nous avions pour habitude de débattre jusqu'à une heure tardive, il était plus volubile que moi et m'a beaucoup appris, notamment que Josué, fils de Noun, le disciple de Moïse, aurait été enterré à Ghazaouet, en Algérie. On parlait aussi de la Palestine et on se braquait parfois au sujet d'Israël.

GS : Étais-tu présent pendant l'adolescence de Samy ?

AA : Il est vrai que je voyageais souvent. Quand j'ai arrêté le cinéma, j'ai repris mes petits business avec l'étranger, et surtout l'Algérie où j'avais ouvert un commerce d'articles de sport. Des dix ans de Samy jusqu'à ses dix-huit ans, j'ai donc beaucoup été en Algérie, ainsi qu'au Pakistan et en Indonésie où je faisais fabriquer les articles.

GS : Un commerce d'articles de sport en Algérie ? Tu ne choisis pas le chemin le plus simple pour faire des affaires !

AA : En effet, et il m'est arrivé de faire deux voyages par semainc à Alger. Mouna, elle, restait à la maison et s'occupait des enfants, elle a donc davantage suivi l'évolution de Samy. Je suis allé là où j'avais l'impression de pouvoir gagner ma vie et je sais que mon fils était fier de son père.

GS : Je pense en effet qu'un jeune adolescent devait être épaté par un père comme toi, mais quel espace avait Samy dans tout cela ? Avez-vous eu des moments joyeux ensemble ?

AA : Les moments les plus forts que j'ai passés avec lui ont certainement été pendant ma « période algérienne », de ses sept ans, en 1994, jusqu'à l'âge adulte, dans les années 2000. Je m'occupais de lui et avais encore un peu d'influence. Nous partagions les vacances en Algérie, la mer, la passion du football…

Pendant la Coupe du monde en 1998, je lui ai offert un maillot brésilien et lui ai fait la surprise d'aller voir Ronaldo s'entraîner. C'était son rêve. Je l'ai aussi emmené à Paris sur des tournages, à des matchs de football féminin en Algérie où j'avais monté une équipe et à des combats de boxe que j'organisais.

GS : Penses-tu aujourd'hui que la distance, du fait de tes voyages, a été un problème pour Samy ? Comment cela se passait-il avec ses sœurs ?

AA : Le problème, c'est que, même avec du recul, il reste un mystère, y compris pour Mouna qui le voyait tous les jours. Parfois, j'avais l'impression d'avoir un étranger à la maison. Il a souffert d'être coincé entre sa petite sœur, Maïssa, avec qui il ne parlait quasiment pas, et sa grande sœur, Alya. C'est une fois parti en Syrie qu'il a compté sur Maïssa pour l'aider et elle a cru qu'ils allaient renouer des relations. Alya canalisait davantage Samy, mais elle est partie s'installer à Dubaï. De toute façon, il s'enfermait souvent dans sa chambre quand il était adolescent et ne discutait pas vraiment avec nous. Quand Mouna l'entendait rire, elle était rassurée. Assez protectrice, elle était représentante des parents d'élèves au collège et l'avait défendu lorsqu'il avait été accusé d'avoir jeté une gomme sur un inspecteur. C'était une accusation à tort puisque quelques jours plus tard, une autre élève s'était dénoncée. Je ne pouvais pas croire Samy coupable, d'autant que parfois il était revenu du collège avec des bleus.

GS : Ces traces de coups peuvent laisser penser que, même s'il n'était pas victime de discrimination ou de racisme, sa vie au collège a peut-être été difficile, comme elle l'est d'ailleurs pour beaucoup d'adolescents.

AA : Oui, il était plutôt du genre soumis et suiveur. Sa grande sœur Alya, elle, était une tigresse et le taxait souvent de « chouchou », probablement chouchou de nous les parents, parce qu'il était au milieu.

Adolescent, il me faisait penser à tant d'autres d'aujourd'hui : renfermés, peu diserts, mystérieux. J'ai creusé jusqu'à ce qu'il me dise à dix-huit ans : « Papa, je ne suis pas heureux. » Je ne comprenais pas car il me semblait lui avoir donné tout ce que je n'avais pas eu.

GS : Tu lui as peut-être donné ce qu'il t'a manqué à toi, mais la formule du bonheur est compliquée, surtout à dix-huit ou vingt ans. Tu connais l'incipit du roman de Paul Nizan, *Aden Arabie* : « J'avais vingt ans. Je ne laisserai personne dire que c'est le plus bel âge de la vie… »

AA : Oui, c'est sans doute vrai. Ce que je sais en tout cas, c'est qu'il passait beaucoup de temps sur l'ordinateur et que c'est à ce moment-là qu'il a commencé à regarder ces fichues vidéos.

GS : Quelles vidéos ?

AA : À un moment, il regardait beaucoup de vidéos sur Internet sur le 11-Septembre et Ben Laden. Je fouinais et le surveillais. Une fois il m'a lancé violemment : « Tu m'observes ? Tu crois que si l'on me demandait d'aller jeter une grenade dans un café, je le ferais ? » Je lui ai répondu que j'avais évidemment toute confiance en lui pour ne pas le faire. C'était en 2006, il avait dix-neuf ans.

J'ai compris tout de même que quelque chose n'allait pas, son professeur principal nous avait dit qu'il était distrait avant le bac, qu'il ne suivait pas les cours, mais qu'il avait des facilités. Il nous a conseillé d'aller voir une psychologue, nous l'y avons donc accompagné une fois en famille, mais il n'y a pas eu de suite. Une amie de sa classe me dira plus tard : « Samy parlait peu mais, quand il parlait, ce n'était certainement pas pour dire n'importe quoi. »

11-Septembre

GS : Le 11-Septembre est un événement qui me paraît central dans les relations contemporaines entre l'Occident et le monde arabo-musulman. Il y avait déjà eu de nombreux attentats islamistes en Irak, en Afghanistan, en Somalie, en Algérie, en France, mais pas sur le sol américain – si l'on excepte l'attentat de 1993 au World Trade Center (déjà !). Le 11 septembre 2001, les États-Unis ont été touchés de plein fouet avec l'effondrement des tours jumelles et la destruction d'une partie du Pentagone. La réaction américaine a été massive et brutale avec la guerre en Afghanistan et, surtout, l'invasion de l'Irak, justifiée par des mensonges. Beaucoup de musulmans qui voyaient déjà d'un mauvais œil le soutien indéfectible des États-Unis à Israël ont jugé que les attentats avaient été un prétexte idéal à des visées néocolonialistes. Et George W. Bush n'a pas aidé en appelant à une « croisade contre le terrorisme » – d'autant que le mot « croisade » se traduit littéralement par « guerre de la croix » en arabe. Inévitable alors pour certains d'imaginer que les attentats avaient été organisés dans le but de fournir un prétexte à cette « croisade ». La théorie du complot a germé et s'est répandue dans le monde entier.

AA : Pour ma part, je n'ai pas toujours perçu ainsi le « complot », mais j'ai plutôt eu le réflexe, ou l'envie, de voir ce qui pouvait se cacher derrière ces événements.

GS : Qu'as-tu éprouvé le 11 septembre 2001, quand tu as vu les deux tours du World Trade Center s'effondrer et l'avion s'écraser sur l'un des bâtiments du Pentagone ?

AA : Ça a été un choc, bien évidemment. J'ai ressenti la même chose que tout le monde, c'était atroce. J'avais bien en tête que les États-Unis avaient provoqué tant de guerres dévastatrices au nom de la liberté et de leurs valeurs, mais pourquoi cette attaque ? Samy n'avait que quatorze ans, il regardait les images à la télévision et on parlait d'Al-Qaïda, de Ben Laden. Il était terrassé. Plus tard, j'ai lu des théories selon lesquelles les attentats avaient été orchestrés et j'y ai cru, c'est vrai, je le reconnais. Quelque part, cela me soulageait.

GS : Si tu te fais le vecteur de ces idées farfelues, je vais avoir du mal à te suivre…

AA : Comme tout le monde, j'ai été bouleversé par ce triste spectacle. J'ai vu les vidéos qui circulaient en boucle sur TF1, mais je trouvais l'événement tellement invraisemblable que j'en étais sceptique.

GS : Mais ne pensais-tu pas aux victimes ? Ne voyais-tu pas les images des gens qui se jetaient du haut des tours ? C'est grave que tu aies pensé au complot, Azdyne.

AA : Je ne croyais pas au complot, mais j'écoutais diverses versions pour tirer mes propres conclusions, on est en droit de douter. J'ai écouté les spécialistes, les experts, les commandants de bord… À la télévision, j'ai vu le père d'une victime brandissant un panneau où était écrit « *inside job* » (« ourdi de l'intérieur »). Je n'étais pas le seul à douter.

GS : Les théories du complot existent depuis très longtemps et sur toutes sortes de sujets. Il y aura toujours quelqu'un pour se présenter comme expert et expliquer qu'on n'est jamais allé sur la Lune, que la CIA a assassiné Kennedy ou que la Terre est plate. Tout cela est ridicule, mais relativement inoffensif. En revanche, douter de ce qui s'est passé à New York et à Washington le 11 septembre, c'est une forme de révisionnisme qui est d'une violence insupportable pour les familles de victimes. Comme tu dois le savoir, il y a eu aussi très rapidement des théories du complot concernant le 13 novembre 2015. Certains ont fait circuler l'idée que nos services de renseignement étaient au courant de ce qui se préparait et qu'ils n'étaient pas intervenus à temps pour que le pouvoir puisse mieux imposer l'état d'urgence ensuite. D'autres ont même prétendu que les attaques n'avaient pas eu lieu et que les victimes sur les photos étaient des acteurs… Tout cela est non seulement faux, mais c'est une souffrance supplémentaire pour les familles.

Azdyne, tu sais qu'il y a aussi des négationnistes de la Shoah. Imagine un dialogue comme le nôtre entre un fils de déporté mort dans un camp de concentration et un fils d'oppresseur et tortionnaire nazi. Ils discutent ensemble et, tout à coup, le premier se rend compte que le second pense encore que les camps d'extermination n'ont peut-être jamais existé… On peut débattre de l'existence de Dieu sans conséquences majeures, car l'on n'est sûr de rien, mais sur le 11-Septembre, au sujet duquel on sait presque tout, c'est impossible de douter. Je pourrai d'ailleurs te prêter le numéro spécial d'une revue scientifique sur ces événements, qui traite aussi des mécanismes psychologiques du complotisme. J'espère que tu accepteras de le lire.

AA : Oui, je le lirai. Je ne demande qu'à être convaincu, car une grande partie de ce que j'ai consulté jusqu'à maintenant sur le 11-Septembre allait dans le sens du doute. J'ai aussi eu du mal à accepter que cet attentat ait été commis par des musulmans, celui-là comme ceux qui suivront dans l'histoire d'ailleurs. Je n'ai aucune sympathie pour Al-Qaïda et je ne suis pas islamiste, mais je garde toujours une certaine antipathie pour la politique américaine menée au Moyen-Orient et à travers le monde.

GS : Moi aussi, Azdyne, mais il n'y a pas besoin d'être complotiste pour s'en convaincre ! Crois-tu que ces convictions que tu as eues, et que tu as peut-être encore, ont pu influencer Samy ? Car le complotisme est omniprésent dans le corpus idéologique de Daech.

AA : Je sais que Samy était très timide et influençable. Il aura été sûrement facile pour lui d'épouser des théories complotistes. Il n'avait pas, je pense, les moyens intellectuels et émotionnels de lutter face aux manipulateurs.

GS : Crois-tu que ton absence pendant toutes ses années de formation intellectuelle ait pu jouer un rôle dans son engagement et sa radicalisation ?

AA : Il est vrai que, durant son adolescence, je m'absentais parfois plusieurs jours par semaine pour le travail, voire un mois entier, la fois où j'étais entre le Sénégal et le Mali. Après avoir travaillé dans le cinéma, j'avais du mal à retrouver un boulot fixe, à rester derrière un bureau. Bien que Mouna me le reprochait, l'étranger me semblait le seul moyen de gagner de l'argent et d'améliorer nos conditions de vie.

GS : Pourtant, tu avais un chez-toi, une famille et des enfants que tu aimais. As-tu eu le sentiment de courir après quelque chose toute ta vie ?

AA : Mes enfants et ma femme étaient tout pour moi, mais développer de nouveaux projets était un moyen de grimper socialement, je ne voulais pas revenir en arrière et faire des petits jobs. Il n'y avait plus rien pour moi à Paris... C'était en fait une condition d'immigré atypique : alors qu'ils venaient en Europe occuper des emplois non qualifiés, moi j'allais gagner ma vie à l'étranger et trouver une certaine adrénaline.

Islam et athéisme

GS : J'ai cru comprendre que les dix-huit ans de Samy ont marqué un tournant crucial dans sa trajectoire ?

AA : Oui, je dirais que, jusqu'au baccalauréat, tout allait à peu près bien. Il avait choisi la filière littéraire alors qu'il ne lisait jamais, c'était étonnant. Simplement, il avait commencé à lire le Coran en français et je voyais poindre en lui des questions sur l'islam. Son bac en poche, j'ai donc pensé l'envoyer à la mosquée d'Annaba, créée en l'honneur de son grand-père, la mosquée « Cheikh Amimour El Hilali El Azhari ». Mon père avait en effet été conseiller au ministère des Affaires religieuses et, pour lui rendre hommage, la municipalité avait transformé une ancienne église en mosquée.

J'ai appris par les amis de Samy qu'il s'était mis à prier et, du jour au lendemain, il a revêtu un qamis pour se rendre à la mosquée. J'étais inquiet mais j'ai pensé que cela valait mieux que de boire ou se droguer. C'est donc à dix-huit ans qu'il fait ce que l'on appelle un « retour à la religion », même si en réalité c'était plutôt un premier pas.

GS : Et Mouna et toi ne faisiez toujours pas la prière à ce moment-là ?

AA : Non, toujours pas. Enfant, j'étais frustré par les méthodes d'apprentissage des règles élémentaires de l'islam. Mon père nous a gavés de religion, mes frères et sœurs et moi, je n'en pouvais plus. Pendant des années, j'ai été dans un rejet de la pratique et j'ai voulu laisser mes enfants libres de ce côté-là. Je n'ai mangé du porc qu'une seule fois, parce que je n'ai pas eu le choix – mais, dans ce cas-là, le Coran l'autorise. C'est finalement par Samy que je me suis remis à la prière et que Mouna a commencé à la faire de manière régulière. L'« accompagner » dans sa foi me semblait une manière de l'encadrer.

Quand je travaillais dans le cinéma, l'alcool et la drogue étaient partout. À la maison, avec ma femme, le cadre était beaucoup plus calme et formel. Peut-être Samy a-t-il souffert de me voir entre deux mondes ?

GS : Je trouve étrange ton rapport à l'islam. Tu as fait un rejet par rapport à la tradition, et tes années d'école coranique y sont sûrement pour quelque chose, mais tu ne remets pas en cause les fondements de l'islam, tu ne les interroges pas non plus. Tu fais circoncire ton fils et tu ne manges pas de porc, mais tu bois de l'alcool et tu ne fais pas tes prières. Tu crois en Dieu, mais on dirait qu'il t'est un peu lointain. Au final, moi qui suis athée, j'ai l'impression que je prends Dieu beaucoup plus au sérieux que toi !

AA : En réalité, ma pratique de l'islam a toujours été assez libre et ne s'est pas inscrite dans des principes rigoristes. Parle-moi à ton tour de ton athéisme. Dans quelle spiritualité avez-vous éduqué vos enfants avec ta femme ?

GS : Emmanuelle et moi avons éduqué nos enfants sans rien leur cacher de ce que nous pensions, mais sans jamais chercher à les endoctriner, ni sur le plan politique ni sur le plan religieux. Si l'un d'entre eux avait souhaité pratiquer, par exemple, la religion catholique, nous l'aurions laissé libre, mais aucun des trois ne s'est avéré croyant. En repensant à ton parcours, je me dis que la liberté de choix que nous avons voulu leur donner avait sans doute des limites inconscientes. S'ils avaient voulu croire, ils n'auraient eu aucun référent dans notre famille et l'aspiration religieuse passe probablement par un phénomène de mimétisme.

En ce qui me concerne, ma position est claire : croire sans preuve rationnelle heurte mon esprit scientifique ! Or, des preuves, il n'y en a pas et je n'ai pas « la foi ». J'ai même parfois du mal à me représenter ce qu'est exactement le Dieu auquel croient les fidèles ; ils ne mettent d'ailleurs probablement pas tous la même chose derrière ce mot.

AA : Dieu est un phénomène complexe qui ne peut être résumé simplement.

GS : C'est bien là ma question : qu'est-ce que Dieu ? S'il est considéré comme le créateur du monde, j'aurais du mal à recourir à cette théorie, car elle est pour moi juste une manière de remplacer un mystère, celui de l'existence de l'univers, par un autre, celui de l'existence de Dieu – qui est encore plus obscur. Il m'est plus simple de penser que le monde existe par lui-même.

Si on appelle « Dieu » ce qui donne un sens moral – la voix intérieure qui permet de distinguer le bien du mal –, c'est également pour moi un détour inutile. Il y a des explications plausibles au fait que l'homme soit un animal doté d'un sens moral, qui ne nécessitent pas de béquille métaphysique : l'évolution a pu favoriser la survie des membres d'une tribu les plus amènes avec leurs congénères ! On observe d'ailleurs des comportements altruistes chez les animaux. Notre sens de la moralité a en outre évolué au fil du temps : les commandements religieux formulent une conduite propre à une époque, et non une vérité divine éternelle. Fort heureusement d'ailleurs, sinon on continuerait à brûler les sorcières et exécuter les homosexuels… Seuls les fondamentalistes de toutes les religions ne l'ont pas compris.

Quant à un Dieu créateur qui, en fonction de notre comportement, nous récompenserait au paradis ou nous punirait en enfer après la mort, cela me semble absurde. Je pense exactement le contraire des croyants qui disent : « S'il n'y a rien après la mort, alors la vie n'a aucun sens. » Pour moi, s'il y a un au-delà, si Dieu sait à l'avance qui ira au paradis ou en enfer, s'il est omniscient et si « tout est écrit », à quoi sert alors la salle d'attente ?! Voilà pourquoi je suis athée.

AA : Tu aurais aussi pu être agnostique.

GS : C'est vrai, mais je me définis plutôt comme athée et cela ne veut pas dire que j'ai une absolue certitude de la non-existence de Dieu. J'applique seulement le principe formulé par le philosophe anglais du XIVe siècle Guillaume d'Ockham, principe connu sous le nom de « rasoir d'Ockham » : « Les entités ne devraient pas être multipliées sans nécessité. » Et comme le disait en résumé le mathématicien Bertrand Russell, je ne peux pas prouver qu'il n'existe pas de théière en orbite autour du Soleil, entre la Terre et Mars, mais comme je n'ai aucune raison de penser qu'elle existe, il est raisonnable de supposer qu'elle n'existe pas… jusqu'à preuve du contraire.

Pour Dieu, c'est la même chose : tenter de colmater notre ignorance avec le mot « Dieu » est vain. Pendant très longtemps, les hommes ne parvenaient pas à imaginer comment l'incroyable diversité, la complexité et la (relative) perfection de la vie animale et végétale sur terre avaient pu se produire. Ils ont donc supposé que tout cela avait été créé par un être intelligent appelé « Dieu », avant que Darwin ne fournisse un modèle explicatif incroyablement simple, qui permet de comprendre à la fois pourquoi il existe tant de plantes, d'animaux, de micro-organismes et pourquoi chacun de ces êtres est complexe et adapté à sa propre survie.

Nous sommes moins avancés pour ce qui est de comprendre l'origine de l'univers et la réalité de ce qui constitue la matière et l'énergie. Quand l'on s'intéresse à la physique moderne, on ne peut qu'éprouver un vertige. Plus on avance, plus la physique des particules se résume à des équations décrivant des phénomènes que notre esprit limité est incapable de se représenter. On n'explique pas le mystère de l'existence de l'univers en supposant qu'il a été créé par Dieu, puisqu'on ne sait pas ce qu'est Dieu, ni ce qui aurait créé ce Dieu. Et si Dieu est incréé, pourquoi l'univers ne le serait-il pas alors ?

AA : Et les poètes mystiques, comme nous avons aussi côté soufis (Rumi, Ibn Arabi, Abd al Qadir al-Jilani, etc.), qu'en penses-tu ?

GS : J'ai du mal à comprendre le mysticisme aussi. Je me suis notamment intéressé aux expériences mystiques de la philosophe Simone Weil, elle explique que le Christ « est descendu » et l'a « prise », qu'il est venu la chercher en quelque sorte. Elle considère d'ailleurs que l'homme ne peut pas aller seul vers Dieu, il faut recevoir la Grâce. De mon côté, personne n'est venu me chercher ! Et si je me mettais soudain à sentir une force, une présence supérieure, je me demanderais probablement si je ne suis pas le jouet d'une illusion. Je peux comprendre que Thérèse d'Avila, qui vivait au XVIe siècle, ait pu prendre au premier degré ses expériences de « transverbération » avec un ange – qu'elle décrit d'ailleurs en des termes qui frappent le lecteur d'aujourd'hui par leur évidente dimension sexuelle –, mais comment Simone Weil, qui était une contemporaine de Sigmund Freud, pouvait-elle être certaine que son inconscient ne lui jouait pas des tours ?

AA : Parviens-tu aujourd'hui à savoir à quoi croient tes enfants ?

GS : Je pense le savoir oui : en eux-mêmes pour commencer ! Clément partage ma vision du monde, mais il n'est pas prosélyte. Plutôt que de philosophie ou de religion, il préfère parler de politique avec ses amis (et, plus encore sans doute, de jeux vidéo et de cinéma).

Quant à Guilhem, il apprécie les échanges intellectuels et s'est initié très tôt aux joutes verbales. Lorsque nous vivions en Martinique et en Égypte, il était en effet entouré de jeunes très pratiquants qui essayaient de le convertir. Il « ferraille » aussi volontiers sur ces thèmes sur les réseaux sociaux.

Ma Lola ne croyait pas plus en Dieu. Dans son échelle de valeurs, l'amitié et le respect des autres étaient au sommet. Elle a eu une amie juive pratiquante, Raphaëlle, qui nous a beaucoup appris sur le judaïsme orthodoxe et sur le judaïsme en général. À dix-huit ans, Lola l'a d'ailleurs accompagnée en Israël, à la découverte d'un monde qui lui était totalement inconnu. Raphaëlle a ensuite fait son aliyah à Tel-Aviv, mais elle en est revenue avec un certain recul dans sa conception du judaïsme.

AA : Peut-on rester insensible à la Terre trois fois sainte et à Jérusalem ?

GS : Insensible, sûrement pas, mais, là-bas, Lola n'a pas été touchée par la grâce. Elle a longtemps gardé des souvenirs touristiques, comme ceux de la vieille ville de Jérusalem, de Tel-Aviv, ou de la mer Morte, et a été bouleversée par la visite au mémorial de Yad Vashem, consacré à la mémoire de la Shoah. Elle avait été – comme moi-même lorsque j'ai visité ce centre – particulièrement émue par le mémorial des enfants, creusé dans une caverne, avec des milliers de bougies. Néanmoins, elle n'est pas revenue avec de nouvelles idées sur le conflit israélo-palestinien, elle s'intéressait peu aux grands systèmes politiques ou aux grands conflits, mais plutôt aux individus. Elle était touchée par les gens, qu'ils soient israéliens, palestiniens, verts, blancs ou jaunes, et c'était l'une de ses grandes qualités.

Contrairement à moi, elle n'a jamais été militante, au sens partisan du terme. Je repense d'ailleurs à la manière dont tu as essayé de transmettre des choses à Samy. Dans ma jeunesse, j'étais de toutes les causes pour changer le monde. Eh bien, Lola, elle, n'a jamais milité. On apprend aussi de nos enfants.

Une conscience politique

AA : Tu as milité dans ta jeunesse ?

GS : Oui, mon éveil à la politique a été très précoce. Mon premier véritable intérêt pour la politique vient des discussions de mes oncles et de mon père, lors des repas du dimanche. À des degrés divers, ils étaient tous de gauche, mais avec suffisamment de nuances pour pouvoir se disputer. J'adorais leurs échanges souvent virulents, même si je ne comprenais pas tout. En revanche, je détestais les dérapages racistes auxquels se laissaient parfois aller en ma présence mes grands-parents paternels. Si mes oncles étaient des intellectuels de gauche, mes grands-parents venaient, eux, d'un milieu beaucoup plus populaire. Mon grand-père votait « ouvrier », mais il avait des préjugés et je me souviens d'avoir été choqué à plusieurs reprises, d'autant que je l'aimais beaucoup.

AA : Ta conscience de gauche était déjà en train d'émerger. Très jeune, t'es-tu positionné contre les discriminations à l'égard, entre autres, des immigrés ?

GS : Oui, d'autant que l'on était au début des années 1970 et, comme tu l'as souligné, en plein cœur de la vague d'immigration algérienne. À l'époque, je ne suis pas encore prêt à m'engager, mais je construis ma réflexion, je lis *Le Nouvel Obs* et je suis les débats à la télévision.

Pendant mes années de collège et de lycée, mon ouverture au monde s'est faite aussi par le cinéma. J'ai commencé à fréquenter un ciné-club en quatrième et sentis ma conscience éclore au cours des discussions qui suivaient les projections. On y parlait notamment du Moyen-Orient et de la question israélo-palestinienne, le sujet déchirait déjà. J'écoutais les joutes oratoires et ce fut ma première approche de ce qu'on appelle l'Orient.

AA : Parliez-vous aussi de la France, d'économie, de questions sociales ?

GS : Bien sûr, ainsi que des questions sociétales, auxquelles j'étais très sensible comme les luttes pour l'avortement et contre la peine de mort. Très tôt, je suis intéressé par les questions environnementales. Je me souviens même d'avoir présenté un exposé en classe de seconde sur un rapport rédigé par le Club de Rome en 1973 et intitulé « Halte à la croissance ! ». Déjà, à l'époque, on nous expliquait que l'on avait épuisé les ressources de la planète et qu'il était temps d'agir… C'était il y a quarante-cinq ans !

AA : C'est fou… Te souviens-tu de ton premier engagement ?

GS : J'ai découvert l'action politique à partir de la troisième, du temps du mouvement national des lycées contre la suppression des sursis militaires, voulus par la loi Debré en 1973. L'année suivante, nous nous sommes mobilisés contre un projet de réforme de l'éducation. Chaque année, le gouvernement semblait sortir un nouveau projet qui, le printemps venu, jetait invariablement les lycéens dans la rue ! À vrai dire, au début, je suivais le mouvement, puis j'y ai pris goût. J'ai fait l'apprentissage de la lutte avec beaucoup d'enthousiasme : grèves, manifs, réunions à la Bourse du travail, contre-cours, discussions à n'en plus finir…

AA : Où te situais-tu politiquement ?

GS : À gauche, et même à la gauche de la gauche. Je n'étais adhérent d'aucun parti ou mouvement, mais je m'identifiais vaguement au PSU de Michel Rocard, que je situais quelque part entre la Ligue communiste révolutionnaire d'Alain Krivine et le PS traditionnel. Intellectuellement, je naviguais dans les eaux du *Nouvel Obs* et dans le sillage de Jean Daniel.

AA : Plus globalement, quelle était ta vision du monde ? Avais-tu voyagé ?

GS : Je dois dire qu'hélas, elle était assez restreinte. L'horizon géographique de mes parents était limité ; la tradition, c'était les vacances en famille dans le petit village de Mazuby, dans les Pyrénées audoises. La seule frontière que nous franchissions était celle de la principauté d'Andorre pour acheter du Pastis et des cigarettes pour mes parents et des disques et des cassettes pour moi. Vers quinze ou seize ans, j'ai nourri une passion pour le rock, de Chuck Berry à David Bowie, en passant par les Beatles, Bob Dylan, Janis Joplin, Jimi Hendricks, Pink Floyd et Led Zeppelin… Ma liberté, mon envie d'ailleurs passaient par la musique. Le rock m'a permis de m'affirmer, mais aussi de commencer à rêver de liberté et d'indépendance. À Béziers ou Mazuby, j'écoutais le rêve américain ! Curieusement, je n'ai pas eu l'envie ou le courage d'aller plus loin, de découvrir Londres ou les États-Unis. La rébellion se passait dans ma tête.

Mère Méditerranée

AA : Jusque-là, avais-tu toujours vécu dans le sud de la France ?

GS : Oui, depuis ma naissance à Sète, le 11 mai 1957, sous la IVe république… Cela paraît tellement lointain ! Je suis né rue Paul-Valéry, juste à côté du lycée du même nom. C'est un beau symbole plein d'espoir que de naître sous les auspices de ce grand intellectuel passionné par la Méditerranée, cette mer qui coule dans mes veines comme dans les tiennes, Azdyne. Comment pourrait-on oublier Sète et son éperon rocheux défiant l'horizon ?

AA : C'est une ville magnifique, c'est sûr. On ne peut oublier la Méditerranée quand on est né sur ses rives. Elle nous habite et nous apaise. As-tu vécu longtemps à Sète ?

GS : Jusqu'à l'âge de onze ans, dans le très populaire « quartier haut ». C'est une ville d'immigration, principalement du sud de l'Italie. Beaucoup de pêcheurs sont venus s'y installer au XIXe siècle. Fondée par Louis XIV, si elle a toujours été française – bien que brièvement passée aux mains des Britanniques en 1710 –, « l'île singulière », comme l'appelait Paul Valéry, a encore aujourd'hui une âme italienne. Les couleurs en témoignent, comme la personnalité et les noms de ses habitants.

À ma naissance, mes parents terminaient leurs études. Désargentés, ils louaient un petit appartement. Nous vivions chichement, mais nous étions heureux je crois.

AA : Qui étaient tes parents ?

GS : Mon père, Serge, né en 1932, était issu d'une famille très modeste. Ses parents s'étaient rencontrés aux Établissements Fouga, une compagnie créée à Béziers juste après la Première Guerre mondiale. À l'époque, cette grande entreprise française fabriquant du matériel ferroviaire, puis aéronautique, était un peu la fierté du coin. Ma grand-mère y était secrétaire dactylographe et mon grand-père ouvrier. Son propre père, mon arrière-grand-père donc, était venu à pied d'Andorre au début du XXe siècle.

Du côté maternel, ma grand-mère, institutrice à Sète, avait épousé un fils de paysans des Pyrénées, engagé dans l'armée. Ils ont eu ma mère, Mireille, sur le tard, quinze ans après ses frères et sœurs. Mon grand-père, que ma mère avait peu connu, avait acquis une modeste maison dans son village natal, Mazuby, dont je t'ai parlé et qui a beaucoup compté pour moi. Nous passions des étés entiers dans ce village perché à mille mètres au-dessus de la haute vallée de l'Aude ; j'y ai forgé ma passion pour la montagne et la randonnée.

Après dix ans de vie à distance en raison des mutations professionnelles de mes parents qui étaient professeurs, nous avons enfin pu nous retrouver au grand complet à Béziers en 1970. Au départ, je n'étais pas très bon à l'école car j'écrivais très mal… preuve que j'étais fait pour devenir médecin ! Je me suis révélé plus tard avec un petit côté intello, et c'est certainement la raison pour laquelle je n'avais pas beaucoup de copains. Dans un quartier italien, la socialisation passait dans mon école par le catéchisme et le sport. Mes parents, professeurs de sciences naturelles nourris de darwinisme, n'étant pas croyants, je n'allais pas au catéchisme. Je regrette un peu d'ailleurs de ne pas avoir reçu d'éducation religieuse ; je suis souvent interloqué par les rites et les croyances des autres et peut-être les aurais-je davantage compris si j'y avais été initié. Quant au sport, j'ai fait un peu de judo, mais je n'étais pas très doué et j'ai vite abandonné. Mes parents n'ont pas insisté : la pratique sportive n'était pas très haut placée dans l'échelle de valeurs d'intellectuels des années 1960. Ce n'est que bien plus tard que je me suis mis à la course à pied, avec persévérance puisqu'à soixante ans passés, je cours encore régulièrement des marathons.

AA : Que lisais-tu dans ta jeunesse ?

GS : Tout ce qui me tombait sous la main, mais j'avais deux auteurs favoris : Jules Verne, qui nourrissait mes désirs d'évasion, et Émile Zola, qui me touchait par ses peintures de Paris, ses récits d'injustice sociale, de lutte des classes et de misère humaine. Grâce aux livres, je me suis forgé une culture politique.

AA : J'ai aussi toujours apprécié Zola, et notamment *Au bonheur des dames* – j'ai d'ailleurs eu la chance de travailler sur l'adaptation télévisuelle.

GS : Zola représentait aussi Paris, où je me suis rendu pour la première fois en septembre 1973. Ce fut une grande découverte et je suis immédiatement tombé amoureux de la ville. Je n'imaginais pas à l'époque qu'elle deviendrait ma ville adoptive, mais aussi le tombeau de l'un de mes enfants. À ce moment-là, Paris, c'était la vie.

Et toi, Azdyne, tu es né de l'autre côté de la Méditerranée, en Algérie ?

AA : Oui, en 1947, dix ans avant toi. Je viens de Bône, rebaptisée Annaba après l'indépendance. Saint Augustin est d'ailleurs né tout près, à Tagaste ; il était berbère, c'est une grande fierté !

Ville portuaire pleine de charme à cinq cents kilomètres d'Alger, on surnommait Annaba la « petite Paris ». Né en 1898, mon père, qui était lui-même berbère, a fait ses études au sein de la fameuse université d'al-Azhar au Caire. Avant de connaître ma mère, il s'est d'abord marié avec une Française et a ouvert une auto-école en France, avant de gagner l'Égypte, puis Gaza, où il deviendra théologien.

Ma mère, qu'il a donc épousée en secondes noces, était égyptienne, avec des racines palestiniennes et algériennes. Elle avait quinze ans lorsqu'elle s'est mariée avec mon père, qui en avait trente-trois. De leur union, nous naîtrons avec mes quatorze frères et sœurs entre l'Égypte, Gaza et l'Algérie, où nous reviendrons après la création de l'État d'Israël. Comme moi, mon père avait la bougeotte…

GS : Quel métier exerçait-il ?

AA : Un riche propriétaire terrien aux allures de bey à qui mon père avait enseigné la religion lui avait légué un terrain. Dès lors, mon père s'est contenté de donner des cours d'arabe et de religion et nous avons vécu avec peu de choses. L'islam qu'il professait était modéré, sans jugement ni préceptes intangibles. Aucune de mes sœurs n'était d'ailleurs contrainte de porter le voile, ce qui était plutôt rare pour la famille d'un théologien.

De par ses études au sein d'al-Azhar, mon père avait acquis un certain prestige à Annaba et contribué à la construction de la mosquée qui porte son nom et dont je t'ai parlé. Bien évidemment, je prenais un peu de distance avec cette image de famille pieuse et modérée, je me considérais déjà comme un iconoclaste ! Finalement, je crois que le reste de ma vie, je l'ai passé à me révolter…

GS : Quels souvenirs gardes-tu de ton enfance ?

AA : Mes parents sont décédés il y a longtemps et tout cela me semble bien loin. À vrai dire, je me sentais un peu seul entouré de mes dix sœurs (la onzième est décédée) et de mes deux jeunes frères, tandis que mon frère le plus proche vivait en Égypte. Nous étions un peu entassés chez nous et j'avais peu d'amis. La plage était mon échappatoire, mais entre l'école française et l'école coranique, il me restait peu de temps. Je crois qu'à ce moment-là j'ai fait un rejet de la France et de la religion. À l'école, les institutrices nous parlaient politique et je supportais mal le discours colonialiste, les professeurs réservistes de l'armée française donnaient leurs cours en tenue de combat et nous devions chanter *La Marseillaise* à chaque rentrée de classe. À la médersa, c'était un tout autre discours et je ne parvenais pas à m'en faire exclure car le professeur était... un disciple de mon père ! Le va-et-vient entre les deux m'a donc semblé un peu schizophrène. Plus tard, ce sera avec la guerre d'Algérie et le départ de la France vaincue que ma conscience politique naîtra.

GS : Tu ne parles pas de ta mère, cette femme égyptienne qui élève ses nombreux enfants dans un pays autre que le sien.

AA : Ma mère était analphabète et, ne parlant pas le dialecte algérien, assez isolée. Débordée par ses quatorze enfants et les tâches ménagères, elle n'entretenait pas de rapport particulier avec moi, mais elle chantait, et ce sont mes plus beaux souvenirs d'elle. Elle reprenait des chansons classiques de l'inimitable diva égyptienne, Oum Kalthoum. Ces souvenirs ont certainement contribué plus tard à me faire aimer l'Égypte. En y repensant, l'histoire de mes parents, c'est celle de millions de mariages mixtes, qui m'ont toujours paru poser beaucoup de difficultés.

GS : Mariages mixtes ? Tes parents étaient tous deux musulmans pourtant ?

AA : Oui, mais pour moi, un mariage mixte fait référence à deux nationalités, deux identités différentes. Certes, la *oumma*, la communauté des musulmans, est large et diversifiée, mais je crois qu'il ne reste pas évident de marier un Algérien à une Égyptienne. Ma mère est d'ailleurs toujours restée immigrée égyptienne en Algérie et ne s'est jamais réellement intégrée à la vie locale, je le regrette. Et je crois qu'il y aurait les mêmes différences entre deux Algériens, l'un né en France et l'autre en Algérie.

GS : Qu'en était-il des juifs en Algérie ?

AA : J'avais déjà des réserves sur la France et je suis devenu frileux vis-à-vis des juifs. J'ai eu du mal à digérer ce qui a été fait aux Palestiniens en 1947 avec l'installation d'Israël et les guerres qui se sont succédé. Puis, à l'instar de beaucoup d'Algériens, j'ai pris comme une trahison le choix de nationalité française fait par certains juifs en 1962, lors de l'indépendance.

GS : À cette époque-là, Azdyne, tu partageais donc cette forme particulière d'antisémitisme trop commune dans le monde arabo-musulman, où les juifs, dans leur ensemble, se voient reprocher des choix politiques qu'ils ne partagent pas forcément en tant qu'individus et dont ils ne portent pas la responsabilité.

On peut faire remonter la rupture entre les juifs et les musulmans algériens au décret Crémieux qui, en 1870, a attribué d'office la citoyenneté française aux « israélites indigènes » d'Algérie, afin de modifier l'équilibre démographique au sein de la colonie française. Ce n'était pas une revendication de la communauté juive, mais bien une décision du gouvernement français. En 1962, partir n'était pas vraiment un choix lorsqu'on était pris entre les feux du FLN et de l'OAS.

AA : Ma vision n'était toutefois pas aussi tranchée, même à cette époque : j'ai toujours eu beaucoup d'admiration pour certains juifs, comme Henri Alleg, journaliste qui a dénoncé la torture en Algérie, Maurice Laban, militant pour l'indépendance, ou Pierre Ghenassia, qui a sacrifié sa vie pour l'Algérie. Et puis, j'ai évolué au fil des rencontres, comme celle de mon professeur d'arabe en Jordanie, qui était juif, ou celle de mon voisin Richard à Drancy, dont je t'ai parlé et qui m'a toujours témoigné beaucoup d'amitié, même après le 13 novembre 2015.

GS : Quels souvenirs gardes-tu de la guerre d'Algérie ?

AA : J'avais sept ans au début de la guerre. Je me souviens des bombardements que l'on entendait depuis notre salle de classe, ce devait être vers 1957, j'avais alors dix ans. Nous ne savions pas si les explosions provenaient des Français ou des militants algériens. À la sortie de l'école française, les Algériens pauvres, qui ne savaient pas lire, nous attendaient pour qu'on leur fasse la lecture du journal.

J'ai commencé à distribuer des tracts dans les rues pour l'Algérie libre. À l'école, on me parlait de Révolution française et, à l'extérieur, je militais contre la maison mère… si bien que j'ai été « emprisonné » en 1960, à l'âge de treize ans ! Les militants plus âgés se servaient en effet des plus jeunes, qui n'étaient retenus que quelques heures en cellule. Il n'en reste pas moins que je l'ai vécu comme une injustice et, à ma sortie, je redistribuais à nouveau des tracts pour le FLN. Quel crime y avait-il à défendre l'indépendance de son pays ?

Voyant que j'étais sur le point de quadrupler ma classe de fin d'études, mon père m'a envoyé vivre chez un cousin à Constantine. C'était mon premier voyage, à cinq heures de bus de chez moi et j'étais enfin débarrassé de l'école coranique ! J'y suis resté deux ans et y ai fait la connaissance d'un cousin instruit, cultivé, cadre commercial dans une société, dont le patron, un Français, venait souvent boire un verre à la maison. J'ai découvert un homme bien, auprès de qui la guerre n'a plus résonné de la même façon. Chaque semaine, mon cousin rapportait des disques à la maison, des classiques de la chanson égyptienne qui me rappelaient ma mère : Abdel Halim Hafez, Oum Kalthoum, Asmahan, Farid El Atrache… Il m'a fait découvrir le cinéma, me donnait de l'argent de poche et, pour la première fois, je m'achetais des bonbons et mangeais le pain du jour. Comme l'a si bien dit Chateaubriand : « Oh ! argent que j'ai tant méprisé et que je ne puis aimer quoi que je fasse, je suis forcé d'avouer pourtant ton mérite : source de la liberté, tu arranges mille choses dans notre existence, où tout est difficile sans toi. »

« J'aurais pu mal tourner »

GS : À quel métier te destinais-tu ?

AA : J'aimais le football, mais je ne me voyais pas en faire ma vie. Au final, j'ai exercé plus d'une dizaine de métiers, dans le commerce, le sport, le cinéma, comme je te l'ai raconté. Et ce n'est pas fini ! J'ai toujours été un touche-à-tout. En ce sens, j'admire Léonard de Vinci, l'exemple du génie universel, qui s'est d'ailleurs inspiré, pour ses machines volantes, du Berbère Abbas Ibn Firnas. Né en Andalousie en 810, cet inventeur, qui a été médecin, chimiste et ingénieur, fut le premier à envisager que l'homme puisse voler. Quel plus beau symbole de l'unité entre l'Orient et l'Occident ?

Au-delà d'un métier, il y avait aussi les voyages dans lesquels je me suis projeté à cet âge-là. J'ai fait beaucoup de sauts de puce. À quatorze ans, mon père m'a emmené en Égypte rendre visite à l'un de mes frères qui y vivait. Mais je me rebellais et refusais un sort réglé en deux coups de cuillère à pot. Mon père a donc ensuite trouvé le moyen de se défaire de moi en m'envoyant en Jordanie, chez un oncle.

J'ai donc embarqué depuis Le Caire sur un vol de la Royal Jordanian à destination d'Amman, le 3 septembre 1962. Je culpabilisais vis-à-vis de mes parents car je leur en avais fait voir de toutes les couleurs, mais ma liberté n'avait pas de prix. Je suis finalement resté quatre ans en Jordanie, jusqu'à mes dix-huit ans.

GS : As-tu continué à te rebeller ces années-là ?

AA : Oui, et j'aurais pu mal tourner. Mais à l'école, j'ai rencontré un professeur d'arabe juif qui m'a beaucoup inspiré et ouvert sur le monde. Samaritain, blond aux yeux verts, descendant des israélites, il était néanmoins en désaccord avec la politique de conquête des territoires arabes depuis 1947. Grâce à lui, j'ai appréhendé la complexité du monde arabe. Un vrai bon samaritain ! En Jordanie, la question palestinienne était prégnante et le combat pour la libération de l'Algérie suscitait à cet égard un intérêt particulier autour de moi. Les Palestiniens réfugiés en Jordanie espéraient pouvoir emprunter le même chemin.

Pour autant, de ces souvenirs des années 1960, je retiens la bière et le rock ! C'est en effet en Jordanie, et précisément à Jérusalem, que j'ai bu de l'alcool pour la première fois et que j'ai découvert John Lennon, les Shadows, Elvis Presley, Cliff Richard, Neil Diamond... Le cinéma aussi, et notamment le cinéma égyptien, a contribué à ouvrir mes perspectives.

GS : Comme moi finalement, avec le ciné-club de Béziers dont je t'ai parlé. N'ayant pas eu l'occasion de voyager hors de mon microcosme provincial, le cinéma était une fenêtre sur la culture, la vie et le monde. Deux films m'ont notamment marqué par ce qu'ils disaient du racisme : *Dupont Lajoie* d'Yves Boisset, en 1975, dont le meurtre dépeint dénonçait la lâcheté des êtres et le racisme ordinaire, et *Tous les autres s'appellent Ali* de Rainer Werner Fassbinder, plus subtil. Et puis, le cinéma, c'était aussi l'endroit où l'on pouvait tenir la main des filles dans le noir !

AA : Ah ah ! De mon côté, je me souviens d'avoir vu *La Bataille d'Alger* de Gillo Pontecorvo, qui n'était pas sans me rappeler ce que j'avais vécu en Algérie lors des « événements » : les manifestations, les attentats, les paras... Cette passion pour le cinéma ne t'a pas inspiré pour ta carrière future ?

GS : En réalité, contrairement à toi, je n'avais pas d'ambition artistique, je me sentais maladroit. Et puis un excellent professeur de philosophie en terminale, communiste et passionné par la psychanalyse, m'a donné envie de m'inscrire en faculté de médecine, avec l'intention de devenir psychiatre. Ma mère était ravie d'imaginer que je prendrais le chemin de son frère aîné et mon père suivait tout cela de plus loin.

AA : Étais-tu communiste, comme ton professeur ?

GS : Non, j'avais une grande méfiance à l'égard du Parti communiste français, car j'étais horrifié par le stalinisme et je considérais que le processus de déstalinisation du PCF avait été bien insuffisant.

AA : Si l'on met à part la guerre d'indépendance de l'Algérie, c'est vers l'âge de dix-huit ans que, de mon côté, j'ai commencé à m'engager politiquement. Depuis Amman, j'ai effectué un premier voyage en Syrie en 1965, dans la capitale ancestrale des Omeyades. Puis, ma bourse d'études se finissant, j'ai pris le chemin du Caire en 1966. Au moment de la guerre des Six-Jours entre Israël et les pays arabes en juin 1967, chaque week-end, avec une quinzaine d'étudiants, nous allions chanter au canal de Suez pour soutenir les troupes armées. Je garde un très bon souvenir de ces années au Caire et de la grande solidarité entre communautés (koweitienne, algérienne…). Et puis l'Égypte m'a toujours intéressé culturellement, notamment pour son cinéma, mais aussi politiquement, pour son ambition panarabe.

En 1968, à vingt ans, j'ai songé à gagner le Vietnam avec un ami algérien pour lutter aux côtés des communistes contre les Américains. Nous avons pris le bateau d'Alexandrie pour Beyrouth, mais nous nous sommes finalement arrêtés en Syrie, où nous sommes restés trois mois. Dans une frénésie d'allées et venues au Moyen-Orient, je me suis ensuite arrêté à Bagdad, ancienne capitale de l'Empire abbasside, à Bassora et au Koweit.

GS : Que faisais-tu dans toutes ces villes ? De quoi vivais-tu ?

AA : J'étais hébergé par la communauté algérienne. Je sortais, je buvais, j'allais parfois à la mosquée. Au Koweit, j'ai décroché une bourse pour finir mes études secondaires, mais après m'être un peu agité lors d'une manifestation à l'université, je me suis fait expulser.

J'ai alors décidé de gagner la France, de commencer une nouvelle vie. Après être passé par Rome, puis Genève, j'ai fait du stop jusqu'à Paris, où je suis arrivé en juin 1969. Quand je passais rue de l'École-de-Médecine, je me prenais à rêver de devenir médecin, mais j'en suis resté à quelques boulots de manutentionnaire. Je n'ai pas trouvé à Paris la même solidarité entre Algériens qu'au Moyen-Orient. Il faut dire que la vie était dure. Mais je n'ai pas vraiment ressenti le racisme à l'époque ; quand j'allais à la poste, j'étais même touché de voir des Français aider des Algériens à remplir des formulaires. C'est un exemple, je sentais une certaine cohésion sociale, malgré tout ce qui s'était passé : le pays avait été divisé et, malgré cela, je ne me suis jamais senti jugé.

GS : Tu commençais à te réconcilier avec la France ?

AA : Oui, c'est à Paris que je me réconcilie avec la France, les Français ne m'y semblaient pas désagréables envers les Algériens.

GS : C'est étonnant, je ne conserve pas les mêmes souvenirs sur la tolérance vis-à-vis des immigrés algériens. Je me souviens notamment des attaques racistes subies par une camarade, mais c'était peut-être lié au changement d'époque, nous étions alors dans les années 1970.

AA : Oui, je crois que la méfiance et le ressentiment ont explosé avec le regroupement familial et la crise économique mondiale. Te politises-tu d'ailleurs dans cette décennie 70 ?

GS : Oui, j'ai fait mes premières armes dans les grèves lycéennes, mais c'est à la fac que je suis devenu un militant « encarté ». Trop occupé à bachoter mon concours, je suis resté à l'écart en première année de médecine, toutefois j'ai adhéré à l'UNEF l'année suivante. C'est au sein du syndicat étudiant que j'ai découvert la sincérité, l'engagement et, c'est peut-être surprenant car ce n'est pas la qualité qu'on leur prête aujourd'hui, l'ouverture d'esprit des étudiants communistes. Dans ce contexte, j'ai fini par adhérer à l'Union des étudiants communistes (UEC) en 1977. Je me sentais en prise avec l'histoire, tout en restant critique, notamment au sujet de l'URSS.

AA : Y as-tu été, « de l'autre côté » de l'Europe ?

GS : Non, je n'en ressentais pas le besoin. Des amis sont allés en Pologne ou en République démocratique allemande ; ils y louaient l'accès à la culture, l'éducation et le logement, mais constataient en même temps l'absence de liberté d'expression et, dans la population, une volonté de consommation « à l'occidentale ».
Je ne suis allé en URSS que bien plus tard, en 1987, sous la présidence de Mikhaïl Gorbatchev. L'association France-URSS avait décidé de convier cinq cents Français à visiter l'URSS pour observer et témoigner et je faisais partie du voyage en tant que médecin inspecteur départemental des Hautes-Pyrénées. J'ai rencontré des Moscovites, visité un hôpital psychiatrique, des usines, la Cité des étoiles – où j'ai serré la main de Valentina Terechkova, la première cosmonaute – et nous avons finalement été reçus au Kremlin par Gorbatchev. Il soufflait un vent de liberté extraordinaire sur Moscou.

AA : En tant que sympathisants communistes, nous avons une part d'histoire commune. À Paris, j'avais en effet commencé à m'intéresser au Parti communiste français et à revendiquer quelques engagements politiques. Fin 1969, avec 20 francs en poche, j'ai donc gagné Berlin-Ouest, cette ville située au cœur des grands enjeux géopolitiques de la guerre froide. J'y resterai un an, logé chez une femme dont je m'apercevrais plus tard qu'elle travaillait dans la rue.

GS : Tu veux dire qu'elle se prostituait ?

AA : Oui, c'était Berlin-Ouest à la fin des années 1960, dans un milieu plutôt marginal. À cette époque, j'étais assez loin des conventions morales, voire légales. J'ai d'ailleurs cherché à m'inscrire à l'université en traficotant un diplôme de baccalauréat, sans succès. Je me suis donc rabattu sur un petit commerce entre Berlin-Ouest et Berlin-Est, avant de m'en lasser et de rentrer à Paris.

C'est là, au début des années 1970, que j'ai rencontré les communistes français. Touché par le soutien du PCF aux immigrés, je suivais les pérégrinations de Georges Marchais, qui me fascinait en tant que personnage politique. J'ai assisté à l'un de ses meetings au Parc des Princes, où, pour la première fois de ma vie, j'ai chanté non seulement *L'Internationale*, mais surtout *La Marseillaise* avec fierté et bonheur. L'engagement du PCF en faveur des femmes et de leur liberté, de la pilule contraceptive, sa vision antiraciste et anticolonialiste m'intéressaient particulièrement. C'est d'ailleurs grâce au PCF que j'ai lu *La Question* d'Henri Alleg sur la guerre d'Algérie.

GS : Alleg est aussi l'auteur d'une histoire de la guerre d'Algérie et d'*Étoile rouge et croissant vert* sur les républiques soviétiques d'Asie centrale. Selon lui, l'avenir du communisme et de l'islam se jouait dans cette région. Ce serait intéressant de le relire dans le contexte actuel…

Je crois que le PCF avait tout le mérite de faire vivre une mémoire sur les questions douloureuses de la guerre d'Algérie. Je pense par exemple aux débats autour de l'assassinat de Maurice Audin en 1961, ce mathématicien communiste, assistant à l'université d'Alger, qui luttait pour l'indépendance de l'Algérie.

AA : C'est vrai, et les communistes ont essayé de lever le voile sur ces tabous que la loi d'amnistie post-indépendance avait recouverts d'une chape de plomb. Pendant un temps, la mémoire des événements et de la torture avait disparu des écrans radars.

GS : Ce sont des débats difficiles encore aujourd'hui, avec l'ouverture des archives et le travail d'historiens comme Benjamin Stora. Ce fut un drame pour la France et un drame pour l'Algérie, que nous payons encore.

AA : Pour moi, la guerre d'Algérie est l'un des événements les plus importants de ces soixante-dix dernières années, pour l'Algérie bien sûr, mais aussi pour la France. En entendais-tu parler dans ta famille quand tu étais enfant ?

GS : Je ne m'en souviens pas, probablement parce que ma mémoire ne remonte pas si loin : les guerres qui accompagnent mes souvenirs d'enfance, ce sont la guerre du Vietnam, à la télévision et dans les conversations de mes parents, et la Seconde Guerre mondiale, dans les récits de mes grands-parents.

AA : La guerre d'Algérie et l'immigration algérienne qui a suivi ont pourtant eu des conséquences majeures. La société française en a été changée, c'est indéniable, et la vie politique aussi. Ma vie, ma femme, mes enfants, c'est une histoire entre ces deux pays.

« Maintenant que la jeunesse… »

GS : La nuit du 13 novembre 2015, notre fils Clément nous a donc appelés peu après 1 heure du matin. Il avait suivi en direct les reportages sur les chaînes d'info, essayé en vain de joindre Lola sur son portable et attendu le plus longtemps possible avant de nous prévenir. Lorsque les télévisions ont annoncé la fin de l'assaut au Bataclan, la sortie des survivants et l'évacuation des blessés, l'absence de réponse de Lola a pris un tout autre sens.

Mais, à ce moment-là, ni Clément, ni Emmanuelle, ni moi n'avons voulu croire au pire, ni même à la probabilité du pire. Nous nous sommes accrochés aux statistiques, on annonçait quelques dizaines de morts – ce bilan initial était d'ailleurs un peu sous-estimé par rapport au décompte final. Sur un total d'environ mille cinq cents spectateurs au Bataclan, il y avait plus de chances qu'elle se trouve parmi les survivants que parmi les morts. Elle pouvait avoir perdu son portable dans la bousculade, ou peut-être était-elle trop choquée pour répondre ? voire blessée ? C'était la pire hypothèse que nous étions prêts à envisager sur le moment… pourvu que la blessure ne soit pas trop grave.

Habitant près de chez nous, notre second fils, Guilhem, nous a rapidement rejoints. Il est arrivé en pleurs et nous avons compris qu'il ne partageait pas notre optimisme, ou plutôt notre déni. Nous nous sommes efforcés de le rassurer, de nous rassurer. De lui dire qu'il y avait de l'espoir. Puis nous avons allumé la télévision, où les images de policiers et de secouristes, éclairés par les gyrophares, tournaient en boucle. Un numéro d'urgence défilait en bas de l'écran et nous l'avons appelé, une fois, dix fois, cent fois, toute la nuit… Toujours le même message : « Toutes les lignes de votre correspondant sont occupées, veuillez renouveler votre appel, toutes les lignes… » C'est là que j'ai décidé de lancer un appel sur Facebook et Twitter. Assez vite, ceux qui cherchaient des nouvelles de leurs proches se sont retrouvés autour du mot-dièse #Rechercheparis. Sur l'écran de notre ordinateur défilaient les appels angoissés de familles et d'amis, les photos de Lola et de nombreux autres disparus, presque tous des jeunes. Cette page Internet était le lieu le plus triste du monde. Parfois, un message signalait une issue heureuse : on a retrouvé untel ou unetelle aux urgences, ou bien dans les locaux de la police judiciaire, en train de faire sa déposition. Et, chaque fois, c'était pour nous un nouvel espoir – c'est sûrement le cas de Lola –, mais aussi une nouvelle déception – quand notre tour viendra-t-il ? Quand pourrons-nous pousser un soupir de soulagement ?

J'ai reçu des dizaines, des centaines de messages de soutien (« Je prie pour vous »), d'offres de service (« Ma cousine est infirmière à l'hôpital X ou Y, elle va se renseigner ») et de demandes de nouvelles (« Alors monsieur, avez-vous retrouvé votre fille ? »). Beaucoup étaient bien intentionnés, mais un peu encombrants à l'heure de les trier pour trouver celui qui contiendrait un fait, une information. Et ce message n'est jamais venu.

Il y a bien eu un bref instant d'espoir lorsque, sur Facebook, quelqu'un a signalé Lola en sécurité, utilisant la fonctionnalité mise en place exprès par le réseau social. Mais l'espoir fut vite déçu, il s'agissait d'une fausse manipulation, rapidement effacée par son auteur. Je n'ai enfin pu joindre le fameux numéro d'urgence que vers 5 heures du matin, or l'opératrice n'avait pas d'information concernant Lola. Elle nous a renvoyés vers les plates-formes téléphoniques de l'Assistance publique-Hôpitaux de Paris (AP-HP), des hôpitaux militaires (Percy, Bégin), de l'hôpital Delafontaine à Saint-Denis, du centre hospitalier intercommunal de Créteil... et de l'institut médico-légal, où les morts allaient être acheminés. Emmanuelle et moi avons appelé les différents hôpitaux avec, chaque fois, la même réponse : « Non, votre fille ne figure pas sur nos listes, mais il reste beaucoup de blessés non identifiés, nous vous conseillons de rappeler plus tard. »

Retrouver Lola, l'insoutenable attente

GS : Nous avons pensé que si Lola était blessée, inconsciente ou qu'elle avait perdu ses papiers, il fallait fournir des indices aux hôpitaux permettant de l'identifier. Emmanuelle a donc donné un descriptif des signes particuliers de Lola : elle portait deux petits tatouages, deux rondelles de citron, une verte et une jaune, sur les faces interne et externe de la cheville gauche. Mais l'opératrice de la plate-forme téléphonique de l'AP-HP a répondu qu'elle ne pouvait pas prendre ces renseignements, ce n'était pas prévu dans le logiciel… Beaucoup de choses n'étaient pas prévues.

Petit à petit, notre appartement s'est rempli. Mon fils aîné, Clément, et sa compagne, Amélie, nous ont rejoints ; suivis par Agathe, la colocataire de Lola, son compagnon, Mallory, et des amis de Lola. Dans la matinée, à contrecœur, nous avons appelé l'institut médico-légal, lequel ne pouvait nous donner aucune information avant l'arrivée de la cellule d'identification de la police judiciaire. « À quelle heure viendront-ils ? – Je ne sais pas, probablement en fin de matinée. » Le moment venu : « Ils ne sont pas encore arrivés, essayez en début d'après-midi. » En début d'après-midi : « Ils ne sont pas arrivés, ce sera pour ce soir, voire peut-être demain. »

Je ne pouvais pas supporter l'idée de passer une deuxième nuit sans savoir ce qu'il était advenu de Lola. Il fallait mobiliser les médias pour que la priorité soit donnée à l'information des familles. J'ai donc téléphoné à une amie journaliste, Claude Guibal, puis donné quelques interviews, à RTL et France Inter entre autres. Dans l'après-midi, des messages sur Facebook et Twitter indiquaient qu'un dispositif d'accueil et de soutien se mettait en place à l'École militaire. J'ai tenté de vérifier l'information sur les sites des ministères, mais ne suis pas parvenu à trouver de confirmation officielle. Nous avons donc choisi de nous rendre aux urgences de l'hôpital européen Georges-Pompidou (HEGP), où Mallory avait un contact, et où, disait la rumeur, il y avait encore des blessés non identifiés. Dans la voiture qui roulait sur les quais de Seine, Mallory consultait son smartphone. Un numéro de téléphone portable circulait sur Twitter avec la possibilité d'appeler pour obtenir des nouvelles de Lola. Ceux qui appelaient étaient informés de son décès. Des messages de condoléances commençaient aussi à apparaître sur les réseaux sociaux, suivis toutefois de démentis. La personne à l'origine de ces informations étant un responsable associatif, et non un officiel, nous avons pensé que c'était un *fake* et choisi de poursuivre notre route vers les urgences. À notre arrivée à l'HEGP, nous avons été reçus par l'équipe psychiatrique. Elle nous a appris que tous les blessés avaient été identifiés et que Lola ne figurait pas sur la liste.

C'est à ce moment-là que l'espoir m'a quitté. C'était étrange, je ne m'attendais plus à la retrouver, mais n'avais pas non plus la confirmation de sa mort. J'étais incapable de penser. Nous avons quitté l'hôpital et, plutôt que de nous rendre à l'École militaire où le dispositif d'accueil avait entre-temps été confirmé, nous avons préféré rentrer chez nous, entourés de nos amis, pour rappeler ce numéro du malheur.

AA : Je suis sans voix, Georges… Et cette attente est inhumaine. Je ne savais pas que vous aviez vécu tout ce calvaire avant d'apprendre la terrible nouvelle.

GS : À la maison, j'ai composé le numéro et c'est Stéphane Gicquel, le secrétaire général de la Fenvac (Fédération nationale des victimes d'attentats et d'accidents collectifs) qui m'a répondu. Il était donc bien responsable associatif mais faisait partie de la cellule d'urgence du Quai d'Orsay. Il m'a dit la même chose qu'à ceux qui l'avaient appelé précédemment. C'était fini. Comme je voulais en avoir la certitude absolue, j'ai demandé qu'un fonctionnaire me rappelle. Benoît Camiade, chef de cabinet pour l'aide aux victimes au ministère de la Justice, m'a donc confirmé la nouvelle avec une courtoisie, une humanité et une compétence dont je le remercie, même si elles ne pouvaient atténuer le choc. Je me suis écroulé. C'était fini… Lola avait disparu pour toujours.

Puis, comme dans un mauvais film, le téléphone de nouveau a sonné. L'institut médico-légal appelait pour obtenir des renseignements sur Lola : taille, poids, couleur de cheveux, piercings, tatouages… comme si elle n'avait pas encore été identifiée. Le doute m'a repris le temps de recevoir, quelques instants plus tard, un autre appel, cette fois-ci de la police judiciaire : « Nous avons le regret de vous informer du décès de votre fille. – Merci, mais nous en avons déjà été informés. Pourriez-vous vous coordonner avec vos collègues s'il vous plaît ? »

Annoncer le décès à des appelants anonymes, avant d'en informer les parents par téléphone, en plusieurs appels, et en bégayant... Le processus a été l'anti-modèle de ce qu'il aurait fallu faire. Ce fut l'épilogue d'une journée de recherche frénétique, épuisante et inhumaine.

Les jours suivants

AA : Que s'est-il passé les jours suivants ?

GS : Le calme après la tempête. Je me souviens de mon hébétude dans la douceur de cet été indien à Paris. J'étais épuisé, mais je n'arrivais pas à tenir en place. Le lendemain matin, le 15 novembre, comme tous les dimanches, je suis allé courir avec les amis de mon club d'athlétisme dans le bois de Vincennes. Bien sûr, ils savaient tous ce qui s'était passé, ils ont parfaitement compris pourquoi j'avais besoin de courir et m'ont entouré avec toute la chaleur dont j'avais besoin.

En rentrant à la maison, j'ai allumé la radio et entendu le journaliste Philippe Meyer sur France Culture lire quelques vers tirés d'un poème d'Aragon : « Maintenant que la jeunesse s'éteint au carreau bleui / Maintenant que la jeunesse / Machinale m'a trahi... » L'horreur de ce qui venait de se produire lui interdisait de faire des commentaires à chaud, comme ceux que se permettaient des confrères moins délicats. La poésie est un refuge face à la barbarie. J'en ai pleuré, et ces larmes-là m'ont fait du bien.

Le lundi 16 novembre en fin d'après-midi, nous sommes allés voir le corps de Lola à l'institut médico-légal, quai de la Rapée, ce sinistre bâtiment en brique rouge au bord de la Seine, emprisonné dans un flux incessant de voitures. Mallory et Agathe nous accompagnaient dans ce chemin de croix : passage de la sécurité à l'angle du pont d'Austerlitz, halte sous les tentes des cellules d'urgences médico-psychologiques, attente sous une seconde tente, accueil à l'entrée du bâtiment, passage au guichet pour remplir une fiche, nouvelle salle d'attente, avant d'en gagner une autre encore dans les entrailles de l'institut. Nous étions incapables de penser, de prendre des décisions, de répondre aux questions ; on nous a demandé si nous avions besoin d'un arrêt de travail, nous avons répondu que non, ce qui nous a obligés à revenir dans la semaine pour en obtenir un. Après une longue attente, une psychologue nous a rejoints pour nous préparer. Je dois dire qu'elle l'a fait avec une précision et un professionnalisme que nous avons appréciés, là où d'autres parents m'ont rapporté plus tard des expériences négatives. « Vous allez voir votre fille derrière une vitre, vous ne pourrez pas la toucher. Son corps est recouvert d'un drap. Son visage est intact, la bouche un peu ouverte. Il paraît serein mais il est très rouge, car il n'a subi aucun traitement thanatopractique et votre fille est restée allongée sur le ventre un long moment sur le sol du Bataclan. » Lorsque nous sommes entrés, la réalité était conforme à la description, à ceci près que son visage ne nous a pas semblé si rouge. Elle semblait dormir, et même prête à être réveillée si l'on insistait un peu. Nous nous sommes tous effondrés, mais, étrangement, cette étape nous a aussi fait du bien. La sérénité de ses traits nous a permis, et nous permet encore, de penser qu'elle n'a peut-être pas vu la mort venir, prise dans la danse et la musique.

AA : C'est tellement dur. Comment avez-vous surmonté ce moment ?

GS : Les jours qui ont suivi, l'intimité familiale a été rompue, d'une part, à cause de l'« invasion » des médias – consentie au départ, puis rapidement (mais provisoirement) repoussée – et, d'autre part, en raison de la présence, celle-ci bienvenue, de nos amis et de ceux de Lola.

J'avais moi-même contacté la presse dès le 14 novembre, alors que nous cherchions encore Lola, pour m'exprimer sur la trop longue attente. Je cherchais un moyen de bousculer les autorités pour que les familles soient informées plus rapidement. Mais une fois ouverte la boîte de Pandore, le téléphone a continué de sonner après l'annonce de la mort de notre fille. J'ai d'abord hésité, avant de prendre la décision de répondre aux sollicitations de la presse ; je savais que l'attention des médias était forte et que ce moment ne durerait pas.

Je voulais profiter des micros qui m'étaient tendus pour porter deux messages. Le premier était directement lié à ce que nous venions de vivre : le dispositif d'identification et d'information des familles présentait de graves lacunes qu'il fallait absolument corriger, et j'étais prêt à y contribuer. Le second message était plus politique : je voulais faire savoir qu'une réponse uniquement sécuritaire, policière et militaire ne me satisferait pas, qu'il s'agissait de chercher et d'éradiquer les racines du mal. Je craignais que la France se laisse aller à un repli haineux ou à un appel à la guerre, comme cela avait pu être le cas aux États-Unis après le 11-Septembre. Il me paraissait important de le dire en tant que victime, en tant que père venant de perdre sa fille, et je n'ai pas été le seul à m'exprimer en ce sens. Nous avons « occupé le terrain » et je crois que nous avons contribué à ce que la France réagisse dans l'ensemble avec sang-froid face à cette terrible situation. Les journalistes qui me contactaient étaient conscients d'avoir affaire à une famille endeuillée et prenaient soin d'user de quelques précautions de langage mais, au bout de plusieurs jours, notre famille – en particulier mon épouse Emmanuelle – n'a plus supporté les appels incessants et les tournages à la maison. J'ai donc tout arrêté et notre douleur a retrouvé une intimité familiale et amicale l'espace de quelques trop brèves semaines.

Malgré cela, dans les jours et les semaines qui ont suivi le 13 novembre, presque tous les jours, du monde passait à la maison. L'improvisation fut permanente : nous ne savions pas qui se présenterait, combien de personnes, à quel moment. Beaucoup apportaient des victuailles et, s'il n'y en avait pas assez, on descendait acheter un complément ou bien on se faisait livrer des pizzas. On rapprochait les tables, on se serrait sur le canapé, on s'asseyait sur des coussins, on restait debout... Nous étions tous très tristes et pourtant c'était merveilleux. Petit à petit, cette période a pris fin, néanmoins nous en avons conservé un cercle d'amis et de nouvelles habitudes de convivialité. L'amitié était devenue une priorité.

AA : Lola avait d'ailleurs beaucoup d'amis, n'est-ce pas ?

GS : Oui, les amitiés ont été essentielles dans sa vie. Ses nombreux groupes d'amis, de tous horizons, sont venus nous voir au moment de sa mort et nous avons depuis maintenu les relations. Jusqu'au bout, elle a gardé des amis du lycée Hélène-Boucher, dans le XXe arrondissement, où elle avait passé son baccalauréat. Il y avait aussi le groupe de son école de commerce, l'ESSCA, dont faisait partie Julien, son premier compagnon ; les amis de son master des métiers de l'édition à l'université de la Sorbonne ; ceux qu'elle avait rencontrés lors de ses séjours au Québec et au Japon, ainsi que ses collègues et amis des Éditions Gründ.

AA : Les Éditions Gründ, dont les bureaux se trouvent d'ailleurs à l'étage où nous sommes actuellement... Ce doit être difficile pour toi de parler ici avec moi, dans les locaux des Éditions Robert Laffont, qui font partie du même groupe. Devant l'ascenseur de l'immeuble, j'ai vu le panneau des Éditions 404, que Lola avait créées.

GS : Oui et non, j'aime aussi me retrouver dans cet environnement de travail qu'elle aimait tant.

AA : Lola a-t-elle toujours voulu se diriger vers les métiers de l'édition ?

GS : Non, elle a pris quelques chemins de traverse. Au collège, elle a toujours eu de très bonnes notes. Au lycée, elle était moins appliquée, moins intéressée par les études, sans doute plus centrée sur sa vie d'adolescente. En terminale ES, un conseiller d'orientation l'a aiguillée vers une école de commerce et elle a réussi tous les concours postbac auxquels elle s'est présentée. Pourquoi ? Parce que ces concours testent surtout la capacité des étudiants à travailler en groupe et c'était le fort de Lola. Elle a donc intégré l'École supérieure des sciences commerciales d'Angers, mais le commerce ne s'est pas révélé être sa tasse de thé. Elle voyait ces études comme « une formation rigide pour capitalistes agressifs » ! C'est toutefois à Angers qu'elle a rencontré Julien, son compagnon, avec qui elle a vécu pendant cinq ans, avant de se séparer de lui.

AA : Lui as-tu transmis ton goût pour la lecture ?

GS : Certainement, et notamment pour Émile Zola : elle aimait par-dessus tout le roman et le personnage éponyme de *Nana*. L'histoire de Nana, cette femme prête à tout pour réussir, y compris avec son corps, a dû toucher Lola ; entre autres en tant que féministe, parce que le livre dépeint la condition des femmes, objets de désir des hommes, et la capacité de certaines à s'en émanciper.

Comme moi qui avais rêvé le monde à travers Jules Verne, Lola avait aussi été marquée par *L'Île mystérieuse*, véritable invitation au voyage dont elle s'emparera plus tard et que je lisais en Égypte aux enfants, chapitre par chapitre, le soir avant de s'endormir. Mais elle aimait aussi la série des romans *Harry Potter*, la fantasy, les bandes dessinées ou les mangas. Comme son frère Guilhem, elle dessinait et, dès le lycée, elle a réalisé des planches de BD autobiographiques.

C'est au cours de ses études qu'elle s'est dirigée vers l'édition. Pendant sa formation à l'ESSCA, elle a fait un stage aux Éditions Playback, puis chez Gründ. Après son master des métiers de l'édition à la Sorbonne, elle est partie six mois en stage à Montréal, aux Éditions de l'Homme, qui lui ont proposé de l'embaucher, mais elle a choisi de revenir dans sa ville, Paris. Je me suis souvent dit que si elle avait accepté cette offre au Québec…

AA : … les choses auraient peut-être été différentes.

GS : Oui. D'autant qu'elle avait une envie folle de voyager, de bouger. Elle est également allée au Japon pour un semestre de formation à l'université Sophia de Tokyo, en Corée, à Chypre, aux États-Unis, en Europe… Elle a rapporté de chacun de ses voyages des amitiés durables dont nous avons hérité, comme si sa vie se prolongeait à travers eux. Je pense à Pablo, venu à l'enterrement de Lola depuis Tokyo, qui nous a récemment invités à son mariage au Mexique. Et à tant d'autres encore… Elle avait des amis de tous horizons, de tous genres ; elle les prenait tels qu'ils étaient.

Au roller derby féminin, son équipe s'appelait « La Boucherie de Paris » et les joueuses, les « bouchères ». Ce trait d'humour donne une idée de l'esprit du sport, amusant, frondeur, spectaculaire et marqué par la culture LGBT, « L » comme « lesbienne » en l'occurrence. Lola n'était pas lesbienne et elle n'a jamais jugé personne, elle aimait les gens dans leur diversité.

Même si l'on qualifie trop souvent de « martyres » les victimes des attentats – alors qu'elles n'ont pas cherché à se sacrifier et n'étaient pas exemptes de défauts –, j'imagine volontiers Lola capable de compassion envers ses bourreaux.

AA : Comment as-tu justement appréhendé les jours suivants, où l'enquête dévoilait peu à peu des éléments sur les terroristes ?

GS : Il m'était difficile de penser à autre chose qu'à la mort de Lola en réalité. Bien que mes souvenirs de ces jours-là restent imprécis, je sais que j'ai suivi l'actualité, ne serait-ce que pour pouvoir répondre aux journalistes de manière pertinente. En particulier la couverture de l'opération policière du 18 novembre à Saint-Denis, au cours de laquelle Abdelhamid Abaaoud, chef opérationnel présumé des attaques du 13, a été tué. J'ai aussi vu l'interview tragi-comique de Jawad Bendaoud sur BFM TV et son arrestation.

AA : Tu m'impressionnes, jamais tu ne laisses place à l'abattement. Dans cette situation tragique, tu agis, tu bouges, tu interviens dans les médias. As-tu arrêté de travailler pour autant ?

GS : Je me suis occupé, j'ai rempli les heures. J'ai pris un bref congé avant de reprendre le travail pour assister au congrès de la Société française santé-environnement (SFSE), les 24 et 25 novembre. Il y avait plusieurs raisons à cela. J'étais alors, et je suis d'ailleurs toujours, administrateur de la SFSE et j'avais activement participé à l'organisation de ce congrès. En 2015, il était particulièrement important car concomitant avec la COP 21, la conférence planétaire sur le changement climatique qui allait aboutir à l'accord de Paris sur le climat – signé par la quasi-totalité des pays membres de l'ONU jusqu'au retrait des États-Unis, décidé par Donald Trump. Événement satellite de la COP 21, notre congrès avait pour thème : « Changement climatique et santé : quels risques ? Quels remèdes ? » et j'avais préparé une présentation inscrite au programme. Et puis je crois que j'avais besoin de « toucher terre », de retrouver une routine professionnelle me permettant de fuir les pensées qui m'envahissaient.

AA : Était-ce avant les obsèques et l'hommage national ?

GS : Oui, ils n'eurent lieu que le 27 novembre. Un long point d'orgue avant de clôturer cette séquence. Tôt le matin, nous avions rendez-vous à l'institut médico-légal pour assister à la levée du corps de Lola. En attendant que les portes s'ouvrent, nous étions là, agglutinés porte est de l'institut, celle qui donne vers l'amont de la Seine. La météo avait changé depuis le 13, c'était une matinée froide et brumeuse comme Paris en connaît souvent l'hiver. Au-dessus de nos têtes, le viaduc du métro était enveloppé de brouillard et, de temps à autre, jaillissant de la gare d'Austerlitz, une rame trouait ce cocon nuageux. Je me souviens d'avoir été frappé par la beauté du spectacle, avant de m'indigner de ce monde qui osait être beau en un moment pareil.

AA : Je suis désolé de ces moments douloureux.

GS : Ce fut le dernier jour où j'ai porté un regard sur le corps de ma fille. Elle n'était plus derrière une vitre, mais dans un cercueil ouvert. Deux semaines s'étaient écoulées depuis sa mort et le temps avait fait son œuvre. Son visage n'était plus celui d'une dormeuse paisible. C'était bien un cadavre que je regardais et sur lequel le couvercle du cercueil s'est refermé.

Nous nous sommes ensuite mis en route pour l'hommage national aux Invalides. Emmanuelle, Clément, Guilhem, Mallory et moi y avons rejoint des centaines de survivants et de proches de disparus. Il faisait froid. Nous sommes restés quelques instants sous la tente chauffée, dressée entre le bâtiment et son enceinte ; un sas douillet où étaient servis café et viennoiseries.

Nous nous sommes ensuite installés dans les tribunes, essayant tant bien que mal de nous protéger du froid avec de petites couvertures qu'on nous avait distribuées. L'orchestre jouait la *Septième Symphonie* de Beethoven pendant que, dans la cour, gardes républicains, pompiers, policiers et urgentistes attendaient le président. Parmi eux, je ne reconnaissais que la figure de Patrick Pelloux, urgentiste, syndicaliste et collaborateur de *Charlie Hebdo*, que j'avais vu à la télé comme tout le monde, mais aussi croisé de temps à autre dans des réunions et dans une émission de radio, il y a quelques années, où nous étions intervenus tous les deux sur la canicule de 2003. Devant nous se trouvaient les proches de victimes et les survivants ; les ministres et les autres officiels avaient dû prendre place au premier rang, mais nous ne les voyions pas. Je ne me souviens guère de ce qu'a dit François Hollande. Ce fut sobre et bref, heureusement. Ce dont je me souviens, c'est du silence qui régnait dans la cour des Invalides et de la musique qui a couvert ce silence. Depuis mon enfance, j'ai toujours été sensible à la musique et deux morceaux m'ont en particulier ému ce 27 novembre : la chanson de Jacques Brel, *Quand on n'a que l'amour*, interprétée par Camélia Jordana, Yael Naim et Nolwenn Leroy, et la sublime version de *La Marseillaise* donnée par la Garde républicaine. Les voix des trois jeunes chanteuses, les paroles et la musique de Brel m'ont touché en plein cœur, tandis que la puissance de *La Marseillaise* dans cette orchestration de Berlioz faisait écho à ma détermination à résister à la barbarie. Bien sûr Beethoven,

Brel, Barbara et *La Marseillaise* n'étaient pas très rock'n'roll et des esprits chagrins ont pu regretter l'absence de musiques plus en adéquation avec les goûts de victimes d'un concert des Eagles of Death Metal. Mais, pour ma part, j'ai apprécié cet hommage et nous avons fait résonner, l'après-midi du même jour, des guitares folks et électriques sous la coupole du Père-Lachaise.

AA : C'est au cimetière du Père-Lachaise que se sont déroulés les derniers adieux à Lola ?

GS : En effet. La cérémonie fut belle et les discours – émouvants et drôles, tels que je les avais imaginés – reflétaient le souvenir laissé par Lola dans l'esprit de ceux qui l'avaient connue. La musique a retenti ce jour-là : des chansons merveilleusement interprétées par ses amis, ainsi que des morceaux d'Arcade Fire, de David Bowie, de T. Rex ou de Radiohead, que Lola aimait. Avant d'entrer dans la salle, Marisol Touraine, ministre de la Santé, et Anne Hidalgo, maire de Paris – nos employeurs respectifs avec Emmanuelle, qui travaillait alors au ministère, et moi, à la ville –, sont venues nous adresser quelques paroles de sympathie. Puis, comme toutes les personnalités présentes, elles ont assisté à la cérémonie, participant avec discrétion au recueillement commun. Parents, amis, collègues, un très grand nombre de personnes étaient présentes et beaucoup n'ont pu entrer dans la salle de la coupole. Dans le froid et le silence, ils sont restés dehors pendant une heure, n'entendant que des échos assourdis de la cérémonie. Nous avons ensuite accompagné le cercueil de Lola jusqu'à sa tombe.

En rentrant le soir, j'ai posté sur Facebook une photo de cette tombe recouverte de fleurs, accompagnée du commentaire suivant : « Des flots d'amour, de chansons et de rires. Une cérémonie vibrante et émouvante aujourd'hui au Père-Lachaise. Pour Lola Salines et toutes les victimes de l'imbécillité meurtrière, en France et dans le monde. Merci à tous les présents et à tous ceux qui auraient aimé être là. »

AA : C'est terrible, Georges. Je suis profondément désolé.

« Où est votre fils ? »

GS : Et pour toi, Azdyne, que s'est-il passé après les attaques ?

AA : La nuit du dimanche 15 au lundi 16 novembre, tôt le matin, j'ai perçu un bruit de soufflerie, un bruit que j'avais déjà entendu. On était en train d'essayer de forcer la porte. Un vacarme ahurissant a suivi, je me suis levé et j'ai aperçu un rai de lumière à travers la serrure. J'ai crié : « Je vais vous ouvrir ! », mais un des hommes du RAID a répondu : « Police, lève les mains ! » Une dizaine de policiers sont entrés et nous ont emmenés, Mouna et moi, dans notre chambre, tandis que Maïssa, ma fille la plus jeune qui vivait encore avec nous, est restée seule dans la sienne. Ils ont commencé à retourner l'appartement ; à cet instant, je n'ai pas fait le lien avec Samy, je le croyais toujours en Syrie et pensais qu'avec les contrôles aux frontières, il ne pouvait pas rentrer en Europe.

Aujourd'hui, on sait que c'est via l'île grecque de Leros, au large de la Turquie, qu'il a pénétré en Europe. Depuis la Syrie, il a dû rouler jusqu'à Bodrum, en Turquie, faire la traversée jusqu'à Leros avec de faux papiers, puis gagner la Hongrie. À l'époque, les pays de l'Est étaient encore une vraie passoire. Ce que je sais aussi maintenant, c'est que du 10 au 17 septembre 2015, les trois assaillants, dont Samy, ont logé dans un hôtel à Budapest. C'est probablement là que Salah Abdeslam est venu les chercher en voiture pour les ramener jusqu'en Belgique. Ils sont ensuite restés près d'un mois et demi à Bruxelles. Mais je n'ai su tout cela que par la suite.

Rapidement, la police nous a ensuite menottés et embarqués tous les trois séparément, direction la DGSI à Levallois-Perret.

GS : J'ai du mal à comprendre que tu n'établisses pas encore un lien avec Samy, mais il te paraît peut-être improbable, voire inacceptable, que, d'entre tous les djihadistes, Samy soit impliqué dans cette horreur.

AA : Lors de nos communications, ou lorsque je l'ai vu en Syrie, il n'avait jamais fait la moindre allusion à la préparation d'un attentat. Après mon retour, nous avions eu quelques nouvelles de Samy, mais très peu dans les six mois précédant le drame. Durant cette période, nous avons fini par comprendre que les réponses à nos messages étaient écrites par sa femme. Elle ne nous disait jamais où il se trouvait, soi-disant parfois « juste à côté avec le chat ». Nous n'y croyions plus et supposions qu'il était soit au combat, soit... mort.

Toujours est-il qu'arrivé à la DGSI, on me retire ma cagoule. Je suis seul dans une cellule et ne sais pas ce qu'il se passe. Un gradé finit par entrer :

— Je vais vous montrer des photos d'une dizaine de personnes. Dites-moi si vous en reconnaissez une.

Je n'en connaissais aucun, sauf Samy.

— Oui, je reconnais mon fils, Samy.

La fameuse photo qui fera le tour des médias.

D'autres officiers sont ensuite entrés et ont posé sur la table d'interrogatoire mon agenda de l'année 2013, qu'ils avaient trouvé sur mon bureau :

— Vous reconnaissez cet objet ?

— Oui, c'est le mien.

Dans le coin d'une page, j'avais noté quelque chose qui avait retenu leur attention : « Salah, mission réussie. » Ils ont fait le rapprochement avec Salah Abdeslam, mais je leur ai expliqué qu'il s'agissait d'un ami algérien, du nom de Salah, que j'avais aidé à louer un appartement. J'avais pris d'autres notes, à propos desquelles ils m'ont également interrogé. Ils m'ont cuisiné pendant quatre jours, sans aucun contact, ni avec ma femme ni avec ma fille. J'imaginais la peur qu'elles pouvaient ressentir, mais je savais que je n'avais rien à me reprocher.

GS : À quel moment commences-tu tout de même à comprendre qu'il y a peut-être un lien entre Samy et le Bataclan ?

AA : Un des interrogateurs m'a demandé où était mon fils et j'ai répondu :

— Vous le savez peut-être mieux que moi, il est en Syrie.

Ils m'ont ensuite présenté au procureur de la République et l'échange s'est poursuivi :

— Qu'est-il parti faire en Syrie ?

— Comme les autres jeunes, il est parti aider les Syriens, ou bien faire le djihad… je ne sais pas.

— Comment, vous ne savez pas ?!

— Si, il est parti faire le djihad malheureusement.

— Non, monsieur Amimour, votre fils est mort.

Je me suis effondré. J'ai fait le lien avec les attentats et me suis répété plusieurs fois que mon fils était mort, comme pour essayer de comprendre. Le procureur a alors confirmé que Samy était l'un des assaillants de la tuerie du Bataclan.

Je suis resté muet, je me sentais brisé. Le magistrat a conclu : « Je vais encore vous garder vingt-quatre heures. On va parler de la Syrie. » Ils savaient que j'y avais été, je l'avais dit dans le journal *Le Monde*, qui m'avait interviewé quelque temps auparavant au sujet de mon voyage en Syrie.

GS : Qu'as-tu ressenti après l'annonce de la mort de Samy ?

AA : Le rapport de la commission d'enquête parlementaire précisait que Samy avait été identifié le 15 novembre par ses empreintes digitales. Il a été abattu sur la scène par le commissaire de police de la BAC.

Je n'ai pas versé une larme, j'étais entre tristesse, haine, colère, fatigue et ingratitude. J'étais surtout terrassé en pensant aux quatre-vingt-dix victimes du Bataclan et aux quarante autres des terrasses. Je ne sais pas comment Mouna, de son côté, a vécu ces moments terribles, nous n'en avons jamais reparlé.

GS : Vous n'avez jamais reparlé de l'annonce de la mort de votre fils ? Cela me paraît incroyable !

AA : Non, depuis ce jour, nous n'avons quasiment jamais reparlé de Samy en famille. C'est un tabou.

Les jours suivants, les enquêteurs m'ont montré les photos des dix terroristes. Je ne connaissais personne. Je n'avais pas d'avocat car leur présence est refusée pendant les gardes à vue pour faits de terrorisme. On nous a finalement libérés, ma femme, ma fille et moi, le vendredi 20 à minuit. Dans le taxi que nous avons pris, aucun de nous n'a parlé, c'était le silence complet. Et depuis ce 20 novembre 2015 jusqu'au début de nos entretiens pour ce livre, nous n'avons jamais reparlé de « ça » en famille.

Lettre à mon enfant

GS : Que s'est-il passé ensuite ?

AA : Après plus d'un mois de démêlés avec l'administration, nous avons pu nous rendre à l'institut médico-légal voir Samy. Porte est, un employé nous a froidement indiqué dans quelle salle il se trouvait.

GS : Le passage par l'institut médico-légal est un moment terrible dont nous avons tous deux l'expérience, mais j'imagine que la perception que tu as eue du regard des autres était différente de la mienne.

AA : J'ai demandé à entrer en premier et retrouvé mon fils, couvert d'un drap blanc. Il avait le crâne rasé et son regard, quand je l'ai quitté en Syrie un an et demi plus tôt, m'est revenu. Là, il était mort, inerte, au bout de cette absurdité. J'ai su qu'il avait été abattu à 21 h 57 au Bataclan pendant que je regardais le match. Mouna et Alya m'ont rejoint et, après un dernier au revoir, j'ai embrassé Samy sur le front et vissé moi-même son cercueil. C'en était fini.

GS : Ce couloir qui donne sur la porte est de l'institut est aussi celui où je suis allé chercher Lola. J'imagine que tout était organisé pour que les proches de victimes ne croisent pas les parents des terroristes.

AA : L'institut médico-légal a effectivement eu à gérer les cent trente victimes, mais aussi les neuf terroristes, auxquels sont venus s'ajouter leurs trois complices, morts le 18 novembre à Saint-Denis. J'imagine que c'est pour cette raison qu'ils ont décalé notre venue plusieurs fois avant de nous donner le feu vert.

Un fourgon est venu récupérer le corps de Samy et nous l'avons enterré après la fermeture du cimetière au public. Il faisait nuit noire, personne n'était au courant ni du jour ni de l'heure. Je ne savais pas à quoi ressemblait le paradis, mais là où nous nous trouvions ce soir-là ressemblait à l'enfer.

La tombe de Samy, anonyme, se situe dans le carré musulman du cimetière. La cérémonie fut simple, avec une lecture des versets du Coran et de la profession de foi du musulman. Je déplorais que mon fils parte si jeune, de cette façon et, ce soir-là, j'ai beaucoup pensé aux victimes. De retour à la maison, pendant que Mouna et mes filles tentaient de se réconforter, j'ai écrit un poème du fond de mon cœur et avec mes tripes :

Mon fils bien-aimé, je fonds comme de la glace.
Tant de chemins suivis avec ma carapace,
Ta mère, tes sœurs et moi, et aussi tes amis,
Évoquent leurs souvenirs à toute la famille.

Mon âge et ma santé, le chemin pour Damas
M'aideront-ils enfin à retrouver ta trace ?
Ta prof de français, dans sa lettre, disait
Que tu étais cet ange à ceux qui t'ont croisé.

Le jour où j'ai appris cette mort brutale
Par la bouche d'un notable cruel, comme un chacal,
Et tous les innocents qui n'étaient pas en guerre
En un laps de temps se retrouvaient par terre.

Et lors d'une nuit je ne pensais qu'à toi,
Ton petit chat Titisse était collé à moi.
Me voyant stressé, bizarre et perturbé,
Pour me réconforter ne cesse de ronronner.

Je ne l'ai pas souhaité et sous les projecteurs
La presse et les médias et tous les détracteurs
Vont-ils enfin si vite cultiver l'amalgame,
Ou profiter de ça pour achever notre âme ?

Tous les gouvernants qui nous promettent tant
Et toute cette injustice dans ce monde violent,
Alors qu'il est possible de vivre heureux enfin,
Éradiquer le mal, la violence et la faim.

Arrivé sur ta tombe, je me mets juste en face.
Je récite un verset, me recueille et je passe.
Comment t'imaginer ? Et ton corps abîmé,
Seul Allah le Très Haut, lui, pourra te juger.

GS : C'est bouleversant, Azdyne, et tu as du talent. J'éprouve de la peine pour toi et ta famille. Je crois que l'extrême douleur confère des capacités insoupçonnées et qu'il faut s'exprimer, ne pas se taire.

J'ai écrit un texte moi aussi, et prononcé ces mots à l'enterrement de Lola. C'était en public, devant une foule, tandis que vous, vous vous cachiez du monde. Voici ce que j'ai dit le 27 novembre :

> En premier lieu, nous sommes réunis pour penser ensemble à Lola, mais je veux que nous pensions aussi aux centaines d'autres innocents qui ont été victimes de

la même forme de terrorisme : à Paris, mais aussi et pour ne s'en tenir qu'aux trente derniers jours, à Charm-el-Sheikh, à Beyrouth, à Bamako ou à Tunis.

En second lieu, je veux vous dire merci pour les centaines de messages que j'ai reçus, que nous avons reçus depuis le 13 novembre. Les phrases qui revenaient le plus souvent dans les mails, les SMS, les lettres étaient sans doute : « Il n'y a pas de mots », « Je ne trouve pas les mots », « Comment dire ce que je ressens »... et cet aveu de difficulté était le plus souvent suivi de paroles justes, sensibles, délicates, intelligentes, qui nous ont fait beaucoup de bien.

Alors mon troisième message est qu'il ne faut surtout pas se taire. Il faut au contraire que l'on se parle les uns les autres. Et il ne faut pas se parler seulement pour se dire qu'on s'aime, même si c'est important. Il nous faut aussi essayer de comprendre ensemble ce qu'il se passe. « Le sommeil de la raison engendre des monstres », comme il est écrit sur une gravure de Goya ; il ne faut pas laisser la raison s'endormir et, si nécessaire, il faut la réveiller.

Et si on n'a pas les mots, on peut aussi s'exprimer en images. Lola le faisait souvent. Je vais vous montrer un dessin d'elle. Ce n'est sans doute pas le meilleur ou le plus drôle qu'elle ait fait, mais il m'a frappé quand je l'ai revu ces jours derniers, car elle y avait imaginé sa propre tombe. Mais, rassurez-vous, c'était une tombe pour rire, pour de faux, comme disent les enfants. D'ailleurs, il y a une croix dessus et elle savait bien que la vraie ne serait pas comme ça.

Elle avait fait ce dessin lorsqu'elle rédigeait son mémoire de master. Et comme elle avait du mal à tenir les délais, bien sûr, pour gagner du temps, elle faisait des petits dessins au lieu de rédiger. Je crois que ça rappellera des souvenirs à quiconque a eu à se livrer à ce genre d'exercice.

Mon quatrième message est de ne pas oublier de rire. Lola avait de l'humour à revendre. Elle avait un rire si joyeux et si sonore qu'elle était capable de déclencher un fou rire dans toute une salle. J'espère bien qu'on va rire aujourd'hui, même si je ne peux pas vous promettre qu'il n'y aura aucune larme.

AA : C'est très beau, Georges. Ressens-tu le besoin d'aller souvent sur la tombe de Lola ? Avec Mouna, nous nous rendons régulièrement au cimetière voir notre enfant.

GS : J'y vais rarement. Lorsque je passe devant le Père-Lachaise, si j'ai le temps, j'entre voir l'état de la tombe. C'est une pierre toute simple, toujours encombrée d'objets et de fleurs déposés par les amis. Nous, nous avons simplement fait graver un portrait d'elle qu'avait réalisé son frère Guilhem, ainsi que son nom, ses date et lieu de naissance et de décès : LOLA SALINES : 06/12/1986, Tarbes – 13/11/2015, Bataclan. Les parties gravées et les petites anfractuosités naturelles sont colonisées par la mousse ; la vie reprend ses droits, même dans les cimetières.

Ces moments où je me retrouve face à cette tombe sont aussi des moments de recueillement. Je ne parle pas à ma fille, mais je pense à elle. Après la mort, pour moi, il n'y a rien. Pas d'au-delà, pas d'autre vie, pas de transmigration des âmes. En revanche, les personnes qui ont vécu sur cette terre ont toutes marqué leur passage, elles vivent un temps dans la mémoire de ceux qui les ont connues et ont leur place éternelle dans l'espace-temps. Ma fille n'a pas plus d'existence aujourd'hui que ce qu'elle avait avant de naître, mais elle a vécu et, d'une certaine manière, cette réalité est indélébile. Comme le disait le titre du livre qu'elle avait publié avec ses condisciples à la fin de son master d'édition : *Nul ne skie assez doucement pour glisser sans laisser de traces.*

Jouer et perdre avec la mort

AA : La tombe de Samy est très simple aussi. Où est-il aujourd'hui ? Je crois en la résurrection et en l'âme qui voyagerait après la mort. Tous les jours, je demande à mon Dieu qu'il soit pardonné et, les yeux baissés, je te confesse qu'il a commis l'horreur absolue. Dois-je ou puis-je seulement lui pardonner ?

GS : « Avez-vous pardonné ou pourriez-vous envisager d'accorder votre pardon aux meurtriers de votre fille ? » C'est une question que l'on me pose souvent, mais qui, pour moi, n'a pas grand sens : ils sont morts sans avoir été jugés. Mon pardon ne leur servirait pas plus que ma haine éternelle ne les desservirait. Comme le dit assez prosaïquement M. Samuel Sanders, qui a perdu son fils et ses deux petits-fils, assassinés par Mohammed Merah devant leur école juive à Toulouse en 2012, « pour que je me pose la question de savoir si je pardonne, encore faudrait-il que quelqu'un me demande pardon ». L'impossibilité de ce dialogue est d'ailleurs l'une des raisons qui fondent mon opposition à la peine de mort.

AA : Quelques jours après le 13 novembre 2015, quelqu'un a frappé à notre porte. C'était un jeune du quartier venu me dire que mon fils était un martyr et un héros. D'une certaine façon, il voulait partager notre peine et notre désarroi, mais il se trompait lourdement sur ce que je pensais.

Il fallait arrêter mon fils avant qu'il ne tue encore plus de personnes ce soir-là. En revanche, s'il avait été condamné à la peine de mort – dans un pays où elle est autorisée –, j'aurais été contre, car je suis dans l'ensemble opposé à la peine de mort.

GS : Quant à moi, je suis *totalement* opposé à la peine de mort ! Bien sûr, la priorité des policiers était d'arrêter le massacre et ils ont dû pour cela abattre les assaillants, je le comprends tout à fait ; mais j'aurais préféré qu'ils soient appréhendés vivants, si cela avait été possible, et condamnés à une longue peine. Je suis contre le caractère définitif de la peine de mort, qui nous prive d'explications à tous. En quelque sorte, elle place le condamné à l'abri du regard et du jugement de ses victimes. Une fois mort, je perds le pouvoir de lui pardonner, mais aussi celui de lui refuser mon pardon. La notion de pardon se vide alors de tout sens et il n'y a plus, non plus, aucune possibilité de rédemption.

Je ne suis pas catholique, pas même chrétien, mais je crois que tant que la personne est vivante, elle peut toujours se repentir. Je sais que beaucoup ne partagent pas le même sentiment, or il me semble difficile de tirer des conclusions valables *ad vitam* au sujet d'une personne de vingt-huit ans, car je doute qu'elle soit la même à soixante-huit. Par ailleurs, tuer un djihadiste revient à lui offrir exactement ce qu'il demande : la mort en martyr sur le sentier d'Allah.

AA : J'aurais aussi préféré qu'ils soient jugés et punis. Les terroristes d'extrême droite Anders Breivik, auteur de la tuerie en Norvège en 2011, et Brenton Tarrant, qui a ouvert le feu sur les mosquées de Christchurch, en Nouvelle-Zélande en 2019, ont été arrêtés vivants, de sorte qu'ils doivent faire face à leurs victimes. Dans le cas du djihadisme, le martyr est tellement glorifié qu'un tueur fait tout pour être tué à son tour.

GS : Aux États-Unis, les victimes pensent souvent que l'exécution de leurs bourreaux leur apportera la paix de l'âme, mais les choses sont bien plus compliquées. Indépendamment de la question de la peine de mort, de nombreuses victimes du 13 novembre 2015 regrettent que les auteurs directs des attaques aient été tués ; elles auraient souhaité qu'ils soient au contraire jugés, ne serait-ce que dans l'espoir d'obtenir des réponses à leurs questions.

AA : Des commandos du 13-Novembre, il reste toutefois Salah Abdeslam et ses complices, dont le procès aura lieu en 2021. Lorsque j'ai entendu dans les médias qu'il refusait de parler, j'ai pensé qu'en tant que père de djihadiste, je devrais essayer d'aller le voir. Peut-être me parlerait-il à moi, qui sait ? Si je pouvais au moins être utile à obtenir quelques informations… J'étais le père d'un des leurs et je n'ai plus mon fils pour en parler et comprendre. Je crois que l'on peut encore dire sans choquer que l'on reste avant tout un père.

Le mektoub

AA : Face à la perte d'un enfant, on est tous désemparés et, même si l'opinion ne l'entend pas ainsi, la vérité est que tu as perdu ta fille et moi, mon fils.

GS : Je n'imaginais rien de pire dans la vie que de perdre un enfant. Lola était relativement aventurière, elle faisait des sports à risques et voyageait souvent en solo. Il y avait des raisons objectives d'être inquiet. Emmanuelle l'était par exemple quand Lola est partie faire du couch-surfing seule en Corée. De mon côté, je n'étais pas inconscient des risques, mais j'étais certain que, pour elle, ils méritaient d'être courus. J'ai eu une mère anxieuse, qui m'a bridé dans mes élans aventureux et qui, surtout, ne voulant courir aucun risque, en a oublié de vivre. Fuir le risque, c'est se condamner au pire des risques : celui de ne pas vivre sa vie et je ne voulais pas reproduire ce schéma avec mes enfants.

AA : Tu as raison, la vie n'est qu'une succession de risques. Il faut vivre les choses à fond.

GS : Oui, il faut vivre, et vivre c'est prendre des risques. Le philosophe Pascal a écrit dans ses *Pensées* :

« Tout le malheur des hommes vient d'une seule chose, qui est de ne savoir pas demeurer en repos dans une chambre. » Mais comment faire autrement ?

Lola a profité à fond de sa trop courte vie, et cela m'est une consolation. Toutefois la disparition d'un enfant se situe à un niveau très élevé de souffrance. Ce n'est pas dans l'ordre des choses, les parents devraient a priori partir en premier. En tant que parents, nous devons protéger notre descendance et, alors que l'on est prêt à donner sa vie pour son enfant, ne pas être parvenus à lui éviter la mort entraîne une forme de culpabilité. Il m'a été difficile de ne pas penser : « Et si nous étions restés en province ? à Tarbes ? en Martinique ? même en Égypte... Puisque finalement c'est à Paris que Lola est morte. » Mais ces spéculations sont inutiles, ce qui est arrivé est arrivé.

AA : Et pourtant, je sais que tu ne crois pas au destin.

GS : En effet, en aucune notion de prédétermination. Nous sommes dans un univers quantique, chaotique, stochastique, où une grande place est réservée au hasard. Ce qu'il s'est passé le 13 novembre 2015 obéit à des déterminants historiques, mais le fait que ma fille se soit retrouvée au Bataclan ce soir-là et sur la trajectoire des balles résulte d'une conjonction de hasards. Croire à la part du hasard m'est plus facile à accepter que de croire en un quelconque destin. L'idée que tout serait écrit ou obéirait à une logique métaphysique – laquelle ? – serait plutôt de nature à m'angoisser qu'à me rassurer, à rebours de ce que pensent beaucoup, je suppose. De même d'ailleurs que la croyance en un au-delà : la vie, la vraie, est ici. Si elle était meilleure ailleurs, pourquoi serait-on ici ? La logique d'un monde matériel créé par Dieu afin de nous tester m'échappe totalement.

AA : En regardant le ciel, ne te prends-tu pas à rêver et à imaginer des forces supérieures l'habiter ?

GS : Bien sûr, je suis comme tout le monde ! Mais l'émerveillement que j'éprouve face à l'existence de l'univers, aux mystères de la vie et à ceux de la physique me suffisent à assouvir mes besoins de spiritualité. Je n'ai pas besoin de recourir à des êtres imaginaires, la contemplation d'un ciel étoilé suffit à créer en moi des émotions très fortes. Quand je regarde le ciel, je ne cherche pas irrémédiablement à voir Lola à travers les étoiles.

AA : Je suis perpétuellement rongé par un sentiment de culpabilité. Qu'aurais-je pu faire ? C'est un tiraillement permanent. En même temps, en tant que musulman, je crois au destin, au « mektoub » en arabe : ce qui s'est passé devait arriver, hélas.

GS : Mais comment peut-on croire en un Dieu, et surtout aimer un Dieu, qui organiserait le monde ainsi ? Au siècle des Lumières, un séisme a réduit Lisbonne en poussières, faisant soixante mille victimes, et, déjà, Voltaire, Leibniz et Rousseau se querellaient sur le rôle de Dieu. Je conçois tout à fait le « inch'allah » lorsqu'il renvoie à des impondérables, à une part du réel qui ne nous appartient pas, mais de là à tout remettre dans les mains de Dieu... S'il y avait un Dieu, attentif à nous ici-bas, et qui plus est miséricordieux, je ne peux pas imaginer qu'il puisse laisser faire ces drames : que ce soit Lisbonne le 1er novembre 1755 à 9 h 40, ou le Bataclan le 13 novembre 2015 à 21 h 40.

AA : Il y a deux significations à « inch'allah » : d'un côté, un espoir que la chose se réalise ; de l'autre, le doute.

GS : Si tout est écrit, les auteurs de méfaits peuvent-ils être tenus pour responsables ? C'est une question qui évoque pour moi celle du salut par la grâce, et non par les œuvres, dans certaines conceptions chrétiennes. Ceux qui ont reçu la grâce de Dieu seront sauvés quoi qu'ils fassent ; ceux qui ne l'ont pas reçue auront beau s'escrimer à être bons, l'accès au paradis leur sera pour toujours interdit. Considères-tu que Samy puisse n'y être pour rien ?

AA : Bien sûr que non, Georges ! Simplement, chez les musulmans, on peut croire à une force extérieure, comme le sheitan (le diable), qui s'impose chez certains êtres. Mais il est vrai que le mektoub a souvent bon dos...

GS : La question du libre arbitre n'est pas simple à régler pour les athées non plus. Si nous sommes le produit de nos gènes et de notre histoire, de notre culture, de notre éducation et de notre environnement, toutes choses que nous n'avons pas choisies, où est alors notre responsabilité ? Dans quelle mesure décide-t-on vraiment de ses actions ?

Chez les chrétiens, Dieu a créé le bien et le mal. L'existence du mal est nécessaire car, sans possibilité de faire le mal, il n'y aurait justement pas de libre arbitre : la condition de la liberté est de pouvoir choisir entre faire le bien et faire le mal. Mais dans l'islam comme dans le christianisme, comment concilier le libre arbitre avec la prédestination ? La question reste vaste.

Le deuil malgré tout

GS : Azdyne, peux-tu reprendre le récit de ton après 13-Novembre ?

AA : Les jours suivants ont été terribles. Notre destin, justement, ne nous appartenait plus, nous étions harcelés. Pour Mouna, qui travaillait dans le secteur public, c'était très dur, mais elle a pu compter sur le soutien de plusieurs personnes qui ne l'ont pas jugée. Maïssa, notre fille la plus jeune qui vit en France a, elle, été marginalisée du jour au lendemain. Après lui avoir promis de défendre sa place, « car il ne fallait pas faire d'amalgame », son employeur – la ville – l'a finalement remerciée. De mon côté, je n'ai pas consulté de psy, j'avais tellement mal que je ne voyais pas comment un médecin pourrait m'aider. En as-tu vu un, toi ?

GS : Le silence et le tabou ne me paraissent pas de bons moyens de faire son deuil... Le ressassement compulsif des souvenirs ou le culte des morts non plus, d'ailleurs. Après le 13-Novembre, toute ma famille est allée à l'hôpital Sainte-Anne rencontrer, ensemble, une psychiatre spécialiste du deuil. Elle nous a donné quelques clés de compréhension vis-à-vis de ce que nous vivions, de ce que nous risquions, et cet entretien de groupe a permis à certains d'entre nous d'aller plus loin individuellement. Pour ma part, j'en suis resté là.

Avec Emmanuelle, nous pensons bien sûr toujours à Lola. Nous sommes allés nous recueillir au Bataclan dès que nous en avons eu la possibilité. Nous avons conservé toutes les photos et les films où elle apparaissait, mais nous n'avons pas affiché son visage sur tous les murs de la maison, nous n'allons pas au cimetière tous les jours. C'est différent pour nous, il y a par exemple beaucoup de repas de famille où nous ne parlons pas de Lola. Je crois que c'est normal. Dans le deuil, l'absence, la perte est au début extrêmement douloureuse. Il ne faut pas oublier, mais il faut laisser la mémoire cicatriser. La nature est ainsi faite, la blessure ne se referme jamais mais la douleur s'atténue. Il faut reconstruire sa vie et sa personnalité en l'intégrant. Nous ne sommes pas dans le deuil pathologique, envahissant, je crois que Lola n'aurait pas souhaité cela pour nous de toute façon.

AA : Je suis, de mon côté, simplement allé voir notre médecin de famille et un imam, et leurs réponses m'ont satisfait. Ma femme Mouna, elle, a des difficultés de concentration, quand elle lit ou regarde un film entre autres.

Certains jours, nous avions près de trente journalistes postés devant chez nous, cela nous rendait fous et j'avais peur des vengeances possibles. Nous avons donc préféré nous cacher et enfouir ce secret. Nous avons néanmoins pu compter sur certains de nos amis proches dans le quartier. Quand les journalistes insistaient, notre voisin et ami juif dont je t'ai parlé, Richard, venait faire tampon devant notre porte. Je l'ai entendu plusieurs fois crier aux curieux : « Laissez-les tranquilles ! Arrêtez de les harceler ! » Il avait grand cœur, malheureusement il est décédé depuis. Dans cet immeuble, c'était un peu notre ange gardien, alors que les deux familles arabes voisines ne nous ont pas témoigné de soutien.

GS : Vous auriez dû recevoir de l'aide, c'est évident, et un soutien psychologique. On ne peut pas s'en sortir seul, je te laisserai les coordonnées de quelqu'un de formidable. Je vais me permettre une question difficile… même si c'est interdit en islam, t'est-il arrivé de penser au suicide ?

AA : Il y a eu une époque dans le passé au cours de laquelle j'ai eu effectivement l'impression d'être envahi par la mort. Mais depuis le 13-Novembre, ce n'est pas la même chose. Étant donné ce que Samy a fait subir à des innocents, j'ai aujourd'hui surtout un sentiment de dégoût et de haine. Quand je pense que

Samy a peut-être tué Lola... Nous ne le saurons jamais, et peut-être tant mieux d'une certaine manière, ce serait une souffrance atroce, encore plus insurmontable. Et à te le dire les yeux dans les yeux, Georges, je pleure.

GS : On ne saura jamais si c'est Samy qui... en effet, mais, tu sais, cela ne change rien pour moi que la balle qui a tué Lola soit sortie du canon de son arme ou de celle d'un de ses deux acolytes. Ils sont tous les trois coupables de sa mort et leurs commanditaires et complices aussi.

AA : Samy était en guerre, mais pas ceux qu'il a tués. Même si c'est dur à dire et à admettre, j'aurais préféré qu'il finisse au front en Syrie plutôt que de commettre « l'indicible », pour reprendre ton expression.

Mais je pense que Samy s'est aussi fait instrumentaliser et manipuler, Daech sait très bien s'y prendre. Aurais-je le droit un jour de revendiquer que Samy, dans un sens, est une victime qui en a fait d'autres ? C'est pour cette raison que je suis allé me recueillir aux commémorations lors du premier anniversaire de l'attentat et que je me suis tourné vers les familles de victimes du Bataclan. Certains ne me répondaient pas, d'autres refusaient, mais toi, Georges, tu as accepté. Des rescapés m'ont aussi confié qu'ils me comprenaient et cela m'a fait chaud au cœur.

J'ai aussi rencontré l'ancienne journaliste et désormais sociologue clinicienne, Isabelle Seret, qui préparait un programme de capsules vidéo, RAFRAP (Rien à faire rien à perdre), destiné à sensibiliser sur la manipulation mentale orchestrée par l'État islamique. J'ai proposé d'organiser des rencontres entre parents de victimes et parents de djihadistes et de là est né le groupe Retissons du lien, qui a donné son premier spectacle public à Bruxelles en 2019. Comme Saliha Ben Ali, dont nous avons déjà parlé, je devais absolument faire quelque chose, ne pas me morfondre, contribuer à ma manière.

GS : Dans mon précédent livre, j'ai écrit que je considérais les exécutants également comme des victimes, même si l'opinion bloque encore sur ce point. C'est un terrain glissant : c'est important de ne pas omettre la manipulation mentale dans le djihadisme, mais il est aussi indispensable d'accepter que chacun porte la responsabilité de ses actes.

Les familles des djihadistes, elles, ne peuvent être considérées comme coupables a priori et leur souffrance doit être reconnue. Mais il y a la raison et… l'émotion : il est difficile pour les proches de victimes d'entendre la souffrance des familles de terroristes. En réalité, je ne suis pas si certain que la souffrance des premiers soit supérieure par nature à celle des seconds. On me traite parfois d'islamo-gauchiste pour ce genre de propos, mais les parents ne sont pas responsables des actes de leurs enfants. Dans certaines familles, il règne une culture plus ou moins complice, du moins du point de vue intellectuel, ce qui est plutôt rare. Je vois au contraire qu'avec Mouna, vous étiez à mille lieues de l'intolérance, du sectarisme et de la violence et que tu n'es pas responsable des méfaits de ton fils.

Beaucoup de parents devraient se sentir concernés par ton histoire et ne pas s'imaginer à l'abri d'une telle situation. Samy vous reprochait de ne pas être de bons musulmans, mais si vous aviez été plus pratiquants, on vous aurait alors certainement accusés d'avoir offert un terreau favorable aux dérives de votre fils. Certes, dans la transmission des valeurs, il y a peut-être eu dans ta famille, Azdyne, une perméabilité aux théories du complot et une difficulté intrafamiliale de communication ; certes, tes fréquentes absences ont pu jouer dans le comportement de Samy ; mais devient-on terroriste pour autant ? Combien de familles sont-elles exemptes de toutes failles ?

Le déterminisme a ses limites : les jeunes au vécu similaire ne deviennent pas tous djihadistes, fort heureusement. Et c'est là toute la différence entre la responsabilité et la culpabilité. Des facteurs extérieurs évidents entrent en compte, que personne n'a pu ou su maîtriser ou empêcher. En quête de quelque chose qu'il ne savait peut-être lui-même pas définir, Samy est tombé sur de mauvaises personnes au mauvais moment et il a basculé.

AA : Tu es un être à part, Georges. Beaucoup, j'imagine, seraient plus accusateurs et je les aurais compris.

GS : Ma philosophie est celle de l'État de droit, de la reconnaissance de la justice et de ses institutions. Il n'existe plus de peine de mort ni de prison à perpétuité et je crois que nos démocraties doivent poursuivre dans ce sens-là. La vengeance est une illusion.

13onze15

AA : C'est pour cette raison que tu t'es lancé dans un engagement public de représentation des familles de victimes ?

GS : Alors que ma femme s'est dirigée vers des activités très éloignées du terrorisme, je me suis plongé et investi à corps perdu dans le sujet. Après le drame, j'ai décidé de continuer à répondre aux sollicitations médiatiques pour appeler à un effort national : pourquoi ce drame nous est-il arrivé en France ? Comment peut-on lutter efficacement contre le fléau du terrorisme djihadiste ?

Nous avions reçu les coordonnées d'associations d'aide aux victimes et, en décembre 2015, nous sommes allés voir « Paris aide aux victimes ». Elle fait partie de « France Victimes », le réseau des associations mis en place à l'époque de l'ancien garde des Sceaux, Robert Badinter, dans les années 1980. Il y a une association dans chaque département qui apporte une aide juridique et psychologique aux victimes de crimes et délits, quels qu'ils soient. Auprès de cette association, nous avons constitué notre dossier de « victimes » pour l'indemnisation et la prise en charge des frais d'obsèques et pour nous constituer partie civile dans le procès pénal. Au même moment, la Fédération nationale des victimes d'attentats et d'accidents collectifs (Fenvac) a organisé une réunion en vue de constituer une association des victimes du 13 novembre 2015, à laquelle j'ai assisté. J'y ai rencontré une quinzaine de participants, des endeuillés comme moi, mais aussi des survivants et des parents de survivants.

AA : C'est un travail délicat que de monter une telle association avec des gens traumatisés.

GS : Oui, et les parents endeuillés allaient tous plutôt mal. Heureusement, il y avait parmi nous quelques jeunes déterminés et compétents, comme Emmanuel Domenach ou Aurélia Gilbert, deux survivants du Bataclan.

Nous avons d'abord raconté chacun notre histoire, fait connaissance et mesuré l'ampleur de nos difficultés, qui étaient profondes. Une ébauche des statuts de l'association avait déjà été rédigée, nous les avons finalisés et avons défini nos nombreux objectifs : offrir un cadre fédérateur pour se rencontrer, échanger, s'entraider ; recenser les besoins et les difficultés des victimes et leur apporter un soutien ; les accompagner dans la défense de leurs droits et intérêts ; agir pour la manifestation de la vérité sur les attentats, dans un cadre judiciaire ou extrajudiciaire, etc.

Peut-être parce que j'avais déjà eu une petite fenêtre médiatique en novembre, on m'a proposé, en tant que père de victime décédée, d'être président de cette association que nous avons appelée « 13onze15 », créée le 9 janvier 2016. Un article est paru dans *Le Parisien* et rapidement, malgré un bureau encore provisoire et un manque d'expérience, nous avons été happés par une couverture médiatique et politique impressionnante. La commission d'enquête parlementaire, l'Élysée, les ministres de l'Intérieur, de la Justice, les médias… je me suis retrouvé propulsé devant les caméras, dans de grandes assemblées, ou face à de hauts personnages. Cela n'a pas été évident.

AA : C'était très courageux…

GS : … ou inconscient, mais je n'ai guère eu le temps de m'interroger : très rapidement, nous avons fédéré des centaines d'adhérents. À chacune de mes interventions, j'insistais sur le fait que les terroristes cherchaient à dresser les Français les uns contre les autres et que nous ne devions pas céder à ce jeu-là.

Nous avons répondu à toutes les sollicitations des pouvoirs publics et souvent demandé à rencontrer les décideurs politiques, pour notamment obtenir que les soins de santé soient intégralement pris en charge pour les victimes des attentats. La ministre de la Santé de l'époque, Marisol Touraine, s'y était engagée. Mais, le diable (ou le sheitan !) était dans les détails : le remboursement à 100 % concernait les prestations prises en charge par la Sécurité sociale, or les psychothérapies sont remboursées en France uniquement si elles sont délivrées par un médecin, ou dans un cadre hospitalier.

La psychanalyse pratiquée par des psychologues non médecins, par exemple, en est exclue et les dépassements d'honoraires des psychiatres n'étaient pas couverts. Nous avons obtenu des avancées sur toutes ces questions. Parallèlement, nous avons aussi travaillé sur les problèmes de logement et de retour à l'emploi des victimes.

AA : J'ai entendu dire que certaines personnes s'étaient fait passer pour des victimes. Y avez-vous été confrontés ?

GS : Il existe une liste unique des victimes tenue par le parquet et le procureur de la République, mais elle n'est pas une garantie absolue contre les imposteurs. Les pouvoirs publics ont du mal à les dépister, car ils peuvent vite être accusés d'être trop tatillons et de harceler les véritables victimes avec des demandes de justificatifs ou de preuves. Il y a donc effectivement eu des fausses victimes, dont certaines inscrites dans les associations : des escrocs, mais aussi ce que j'appelle des mythomanes, des personnes se faisant passer pour victimes, dont certaines paraissent croire elles-mêmes à leur propre mensonge, et qui se cherchent ainsi une identité, une famille. Les associations sont encore plus démunies que les pouvoirs publics pour les débusquer, nous sommes obligés de faire confiance et ne demandons pas de fournir un billet d'entrée au concert des Eagles of Death Metal. Il y a eu des fausses victimes dans les associations, certaines y ont même exercé des responsabilités. Sauf nouvelles mauvaises surprises, qui deviennent malgré tout plus improbables avec le temps, elles ont toutes été démasquées, et celles qui avaient cherché à en tirer un bénéfice financier ont été condamnées par la justice.

AA : Comment s'organise votre action mémorielle ?

GS : Nous participons aux journées d'hommage et de souvenir. La première à laquelle nous avons été associés s'est tenue le 19 septembre 2016 aux Invalides, à l'initiative de la Fenvac et de l'AFVT (Association française des victimes du terrorisme), en présence du président de la République. J'y ai prononcé un discours au nom de 13onze15. Et chaque année depuis 2016, nous participons aux cérémonies organisées le 13 novembre. En 2016, elles ont été marquées par l'inauguration de plaques en mémoire des victimes au Stade de France, sur les terrasses des Xe et XIe arrondissements et au Bataclan. En ce moment, notre commission mémorielle et celle de Life for Paris travaillent avec la délégation interministérielle à l'aide aux victimes et la Mairie de Paris en vue de l'érection d'un monument aux victimes du 13-Novembre.

De nombreuses actions mémorielles concernent aussi plus spécifiquement des victimes individuelles. Ainsi, au Centre national du livre, il y a une plaque en hommage à Lola et à Ariane Theiller, les deux éditrices qui sont tombées ce jour-là, et nous apportons notre soutien à certains parents qui ont créé des associations locales.

AA : Avez-vous eu peur, à un moment ou à un autre, d'être l'objet de récupérations politiques ?

GS : C'est bien sûr une préoccupation permanente et nous nous sommes interdit dans nos statuts de prendre des positions partisanes. Nous avons toujours réagi lorsque des personnalités politiques se sont exprimées au nom des victimes, d'autant que beaucoup l'ont fait en proposant des mesures que nous ne soutenions pas.

Toutefois, le travail associatif nécessite d'interagir avec les pouvoirs, qu'ils soient exécutifs, à l'échelon national, mais aussi locaux, législatifs ou judiciaires. La Mairie de Paris nous a toujours soutenus, nous fournissant des locaux, une subvention, accueillant nos conférences et assemblées générales. On peut considérer cet appui comme normal, mais je serai toujours reconnaissant à Anne Hidalgo de son soutien matériel et moral et de son engagement personnel.

AA : Avez-vous rencontré des victimes d'autres attentats, en France et à l'étranger ?

GS : Oui, bien sûr. Tisser des liens entre toutes les victimes du terrorisme est une des actions les plus utiles et les plus importantes des associations. En France, 13onze15 a été en contact avec les très nombreuses victimes de l'attentat de Nice, dont l'association Promenade des Anges qui nous a rejoints au sein de la Fenvac. Nous avons des relations suivies avec des associations de victimes françaises d'attentats s'étant produits à l'étranger, comme celui du musée du Bardo à Tunis en mars 2015. J'ai rencontré aussi, souvent via l'Association française des victimes du terrorisme, dont je suis également adhérent, de nombreuses victimes d'attentats plus anciens, parfois très anciens, comme celui du Milk-Bar pendant la bataille d'Alger, en 1956, dont une survivante, Danielle Michel-Chich est devenue mon amie ; et des victimes d'attentats beaucoup plus récents comme Étienne Cardilès, le compagnon du policier Xavier Jugelé, tué sur les Champs-Élysées le 20 avril 2017.

À l'étranger, nous avons été aidés par des associations comme celle des victimes norvégiennes des attentats perpétrés à Oslo et sur l'île d'Utoya par Anders Breivik le 22 juillet 2011, ou l'association américaine Voices of September 11th. Et à notre tour, nous avons aidé nos amis belges à créer V-Europe, qui regroupe des victimes des attentats de Bruxelles du 22 mars 2016. Enfin, comme je suis marathonien, j'ai une tendresse particulière pour les contacts noués avec les survivants de l'attentat à la bombe qui a frappé les spectateurs et les coureurs à l'arrivée du marathon de Boston le 15 avril 2013. Certains de ces survivants sont devenus des amis très chers et je suis allé courir le marathon de Boston 2019 à leurs côtés.

AA : Avez-vous rencontré des associations de familles de djihadistes ?

GS : En avril 2016, j'ai effectivement été contacté par la fondation britannique Quilliam, créée par des djihadistes repentis, qui m'a invité à intervenir à une conférence. J'y ai rencontré des parents de djihadistes, des mères principalement, et notamment Saliha Ben Ali, fondatrice de SAVE Belgium, dont nous avons déjà parlé. C'est grâce à eux et à Saliha que j'ai personnellement commencé mon chemin en direction des familles de djihadistes.

AA : Et c'est en février 2017 que je t'ai contacté...

GS : Oui, notre rencontre a été un moment très marquant pour moi. J'ai été impressionné par ta franchise et ta sincérité.

Témoigner

AA : Tu m'as aussi parlé de ton livre ce jour-là. Qu'est-ce qui t'a poussé à écrire ?

GS : J'en avais besoin. J'ai commencé à écrire dès décembre 2015 : dans l'agitation, il me fallait cette bulle de calme pour me retrouver face à moi-même. Ce moment où je pouvais réfléchir à ce qui était arrivé, en étant presque serein, était un refuge quotidien contre la peine. Quand j'écrivais, je ne pleurais pas. C'est ainsi que j'ai publié *L'Indicible de A à Z*, bien que ce n'ait pas été mon intention initiale. J'avais au départ écrit pour moi, comme une forme de thérapie après la mort de Lola.

Je ne regrette pas que ce livre ait été édité, car il a été une porte d'entrée vers un nouveau type d'activités. Début 2017, le club de prévention de la radicalisation de la ville de Creil, ville hautement sensible s'il en est, est venu me rencontrer avec un groupe d'adolescents. Une association m'a invité à Brest pour intervenir dans plusieurs établissements, des enseignants souhaitaient que je parle à leurs élèves et certaines initiatives sont même venues des élèves. Plus récemment, je suis intervenu dans des établissements à l'initiative de l'Association française des victimes du terrorisme. Ce type d'actions est de plus en plus soutenu par le CIPDR, le Comité interministériel pour la prévention de la délinquance et de la radicalisation.

AA : Que dis-tu aux jeunes que tu rencontres ?

GS : C'est avant tout un témoignage : je leur parle de Lola, leur montre ses photos, ses dessins, je leur précise qu'elle n'est qu'une victime parmi des milliers dans le monde… Enfin, je leur explique ma lutte contre le djihadisme, une lutte qui ne peut être juste et efficace que si elle choisit correctement ses cibles et ses méthodes, que les appels à la vengeance et les amalgames font le jeu des terroristes. Je ne leur cache pas non plus que ce discours-là rencontre parfois des incompréhensions, voire des réactions de haine.

Les élèves sont sages, attentifs et intéressés par nos vies, par les drames que nous avons vécus. J'écoute aussi ce qu'ils ont à me dire, nous discutons, nous débattons et j'apprends grâce à eux !

AA : Avec cette expérience, crois-tu qu'une action de prévention puisse être envisageable avec des familles de djihadistes ?

GS : Il y a déjà des réticences à accueillir les témoignages de victimes en raison de la forte charge émotionnelle, alors, ceux des parents de djihadistes… Mais je crois effectivement qu'on devrait chercher à les impliquer dans l'action de prévention. La question reste compliquée, chaque famille est différente : comment appréhender par exemple celles qui ont envoyé de l'argent à leurs enfants en Syrie ?

Organiser des rencontres entre familles de victimes et familles de djihadistes serait dans tous les cas une bonne chose, même si, jusqu'à maintenant, je n'ai pas eu le courage de lancer un mouvement. En tout état de cause, l'action que tu mènes en Belgique avec le groupe Retissons du lien, et qui va dans ce sens, est bénéfique pour les victimes. Créer du positif avec du négatif est essentiel et nous devrions importer cette démarche en France.

AA : Je serai prêt à t'aider à le faire en France.

GS : Ces actions de prévention me paraissent essentielles. Je voudrais d'ailleurs les élargir à d'autres publics, y compris celui des délinquants, qu'ils soient en prison, en attente de jugement, ou relâchés après des faits en lien avec le terrorisme. Cette action me paraît si importante que j'ai renoncé à la présidence de 13onze15 en grande partie pour y consacrer plus de temps et d'énergie. Je suis heureux de voir que de plus en plus de victimes s'impliquent de la même façon, nous avons besoin d'être beaucoup plus nombreux pour être efficaces.

Mais mon combat se dirige aussi contre la haine dont les musulmans sont la cible. L'inquiétude liée à leur place dans la société française a pris de l'ampleur et le terrorisme est venu fournir des arguments ou des justifications à des formes d'ostracisme. Je continue de penser qu'il faut au contraire davantage les intégrer. Fort heureusement, je ne suis pas le seul. J'ai d'ailleurs été surpris par la rareté des réactions de haine parmi les victimes, en particulier dans le milieu associatif. La plupart de celles que je connais ont conservé tolérance et humanité.

AA : Je comprendrais toutefois que certains Français puissent être influencés par des discours islamophobes, car le contexte politique de l'Hexagone depuis vingt ans y encourage.

GS : Je serais plus nuancé, ne serait-ce que dans l'emploi des mots. Je n'utilise pas le terme d'« islamophobie », qui est aujourd'hui rejeté notamment par d'ex-musulmans comme l'ancienne journaliste de *Charlie Hebdo*, Zineb (el-Rhazoui), le journaliste Mohamed Sifaoui, ou encore la femme politique Lydia Guirous. Selon eux, cette notion a été inventée par les islamistes pour délégitimer toute critique de l'islam, que l'on doit pourtant pouvoir critiquer comme toute religion. Ensuite, entre critiquer l'islam et faire des textes islamiques – et du Coran en particulier – la source du terrorisme, il y a un pas qui ne me paraît pas pouvoir être défendu. Bien sûr on peut trouver dans le Coran des versets qui appellent à la violence contre les chrétiens ou les juifs, mais on ne peut pas les extraire de leur contexte ; on trouve aussi dans le Coran des versets de tolérance. L'important n'est pas le texte, mais la manière dont on l'interprète.

AA : Effectivement, on m'a toujours appris que le Coran ne devait pas se lire seul, c'est un texte complexe. Au-delà du fait qu'il n'y a pas d'autorité suprême pour trancher sur l'ambiguïté d'un écrit ou de sa jurisprudence, il faut être intellectuellement et théologiquement armé pour appréhender le Coran. Il en existe plusieurs degrés de lecture, qui rendent facile son instrumentalisation par ceux qui prétendent savoir et qui dévoient les masses ignorantes. Le piège est là.

GS : Pour les islamistes, la solution à tous les maux serait de revenir à une interprétation littérale des textes et à une pratique idéalisée, celle qui régnait au temps du prophète et de ses compagnons. Le problème, c'est que la société du VIIe siècle dont rêvent les réformateurs réactionnaires d'aujourd'hui est un fantasme. Elle n'a jamais existé telle qu'ils la conçoivent, néanmoins ce « salafisme » domine actuellement le monde musulman. Cette situation est en partie due à l'influence de l'Arabie saoudite, car le wahhabisme, qui est le prototype de cette volonté de mise en conformité en référence aux grands anciens, est la version de l'islam qu'ont adoptée Mohammed Ibn Saoud et ses successeurs. La puissance financière de ce pays et sa position de gardien des lieux saints lui assurent une position privilégiée. Mais il y a aussi eu le mouvement des Frères musulmans. Cette organisation fondée en Égypte par Hassan al-Banna a donné au fondamentalisme une traduction politique, prosélyte et conquérante, souvent djihadiste, voire terroriste, selon les circonstances. Les Frères ont essaimé de par le monde, ils sont au pouvoir à Gaza avec le Hamas, ou en Turquie avec l'AKP d'Erdogan. En France même, on sait que l'association Musulmans de France (ex-UOIF) est liée aux Frères.

De nos quartiers à Daech

AA : Pourquoi Daech a-t-il d'ailleurs fait de la France une cible privilégiée ? Entre autres car ses sbires ont décidé que la loi de 1905 de séparation de l'Église et de l'État, autrement appelée loi sur la laïcité, était *ipso facto* une loi d'intolérance et de rejet. 1905 s'est donc transformée, selon Daech, en loi islamophobe… Et combien de musulmans, sans même éprouver de sympathie pour les djihadistes, ont-ils fini par le croire ?

Je ne suis pas pour un islam de France, je suis pour un islam tout court. Le problème est que wahhabisme et malékisme (l'islam traditionnel du Maghreb) se sont radicalisés depuis des décennies, en Europe notamment. C'est le même problème en Belgique avec tous ces imams envoyés par l'Arabie saoudite et que beaucoup tentent de dénoncer, enfin. Pour ma part, je fréquente aujourd'hui une mosquée turque, hanafite (une des quatre écoles sunnites), plus authentique pour moi. C'est un islam dans lequel je me reconnais, je me sens pratiquer un islam plus humain pour moi… et pour les autres. L'imam fait preuve d'ouverture, de tolérance et est beaucoup moins empreint de certitudes que ceux qui nous arrivent de Riyad. Je me méfie des mosquées qui prêchent en arabe alors que beaucoup des jeunes générations d'origine immigrée ne le lisent pas, voire ne le parlent pas.

GS : Je suis entièrement d'accord avec toi et cela renvoie à la question des sources étrangères qui financent l'islam. Beaucoup de gens ne comprennent pas l'esprit de la loi de 1905, qui est une condition de la liberté de culte. L'État est neutre et permet à tout un chacun de pratiquer sa religion comme il le souhaite. Il y a une neutralité de l'État, mais pas des citoyens.

Ce principe général a été bousculé par les événements survenus à Creil en 1989. Dans un collège de cette petite ville de l'Oise, le proviseur avait exclu trois jeunes filles qui refusaient d'ôter leur foulard en classe. Face à la polémique, le gouvernement de Lionel Jospin avait alors sollicité l'avis du Conseil d'État. Celui-ci avait jugé que, tant qu'elle ne constituait pas « un acte de pression, de provocation, de prosélytisme ou de propagande » et tant qu'elle ne perturbait pas le déroulement des activités, l'expression des convictions religieuses ne pouvait être interdite à l'école. Une circulaire avait alors été adressée aux enseignants : à eux de décider s'ils acceptaient ou non le voile en classe. L'État se défaussait sur les enseignants, les plaçant dans l'embarras. Les islamistes ont ensuite utilisé le prétexte du voile comme un cheval de Troie et un outil de provocation et de propagande. Une commission, présidée par Bernard Stasi, a été mise en place par Jacques Chirac en 2003. Composée de vingt membres, elle était chargée d'adapter la réflexion de la République sur le principe de laïcité. Elle a fait un travail remarquable, mais, finalement, le choix retenu par le gouvernement et le Parlement a été une interdiction pure et simple du port de tout signe religieux « ostensible » par les élèves, ce qui inclut le voile islamique, mais aussi la kippa, et le port de grandes croix. La loi de 2004 permet le port de symboles discrets de sa foi, tels que petites croix, médailles religieuses, étoiles de David, ou mains de Fatma. En ce qui concerne ces dernières, elles n'ont d'ailleurs pas réellement de signification religieuse : le port par les femmes de la « khamsa », ou main de Fatma, est une tradition d'origine nord-africaine de « protection contre le mauvais œil » qui existait bien avant l'islam et qui est aujourd'hui populaire en Israël, aussi bien chez les musulmans que chez les juifs (qui l'appellent « main de Myriam »).

La loi du 11 octobre 2010 est ensuite venue interdire la dissimulation du visage dans l'espace public. Cette loi se fonde sur des considérations de sécurité, mais il est évident pour tout le monde qu'elle visait à interdire le port de la burqa ou du niqab. Quoi qu'il en soit, cette obsession antivoile est passée pour un rejet de l'islam par les Français, un symbole d'intolérance de la République, et a servi le prosélytisme islamiste. Je pense qu'il n'y a jamais eu autant de voiles dans la rue par réaction à ce que les islamistes ont su instrumentaliser et résumer à de l'ingérence de l'État dans les affaires privées et cultuelles des individus.

AA : Tout à fait, plus on a interdit le voile en général, plus il a été porté. Et je trouve totalement abjecte la manipulation, par les extrémistes, d'enfants de 6 ans portant des jilbeb dans l'Hexagone.

GS : C'est effectivement de la manipulation, puisque aucune injonction religieuse n'impose de voiler des enfants. Utilisé en guise de drapeau pour marquer un territoire, la question sert une guerre d'influence. Souviens-toi par exemple de l'affaire de la crèche Baby-Loup en 2008. Une employée de cette crèche privée de Chanteloup-les-Vignes dans les Yvelines avait été renvoyée au motif qu'elle portait un foulard islamique, alors que le règlement intérieur de l'association qui l'employait l'interdisait expressément. Au nom du respect des principes de la laïcité et de la neutralité, Baby-Loup est entrée dans la tourmente, après de nombreuses menaces et pressions en soutien à l'ancienne salariée. Au terme d'un long parcours judiciaire marqué par des décisions contradictoires, la Cour de cassation a fini par valider le licenciement. Entre-temps, la crèche a déménagé à Conflans-Sainte-Honorine. L'employée a porté l'affaire devant le Comité des droits de l'homme (CDH) de l'Organisation des Nations unies, qui a rendu un avis en 2018, estimant que le licenciement constituait « une discrimination en raison des convictions religieuses ».

Le CDH est d'ailleurs très critique à l'égard de la France sur ces sujets, mais aussi remis en question à cause de ses positions et de sa composition. En octobre 2018, il a ainsi demandé des compensations après la plainte de deux femmes qui portaient un niqab en France et qui avaient été verbalisées en vertu de la loi de 2010. Le CDH demandait aussi à Paris de réviser sa loi.

Aurait-on alors le droit de circuler dans l'espace public de manière cachée au nom de la liberté religieuse ? Je crois que la préoccupation d'ordre public est tout à fait légitime. On doit pouvoir être identifiable dans tout lieu public et ne pas cacher son visage. La France n'est d'ailleurs pas le seul pays à vouloir restreindre la présence du voile intégral : c'est aussi le cas du Québec, du Danemark, de l'Allemagne, de certaines communes belges, et même du Maroc depuis 2017. Mais les deux lois françaises de 2004 et 2010 ont été reçues par beaucoup de musulmans comme des lois islamophobes… du pain béni pour Daech qui les a utilisées pour attaquer la France.

AA : La burqa me renvoie aux pires images de l'Arabie wahhabite ou de l'islam afghan.

GS : Mais je crois qu'il faut éviter de tomber dans le panneau de provocations, on fait face à des polémiques de plus en plus ridicules, comme la commercialisation du burkini ou du hijab de running par l'enseigne Decathlon. Dans ces affaires, il y a un mélange d'opportunité commerciale et de provocation de la part d'islamistes incitant les musulmanes à afficher leur identité religieuse quelles que soient leurs activités. Mais si, dans le même temps, des musulmanes peuvent accéder plus facilement au sport grâce à un vêtement « hallal », ce peut être un premier pas vers une certaine émancipation.

AA : Au-delà de la question du voile, l'Hexagone me semble toutefois un pays intégrateur, on y compte une grande quantité de mariages mixtes. En Angleterre, le gouvernement a longtemps eu une tolérance importante à l'égard des communautés, favorisant malgré lui le communautarisme. Pourtant, si les islamistes apprécient le modèle communautaire anglo-saxon, cela ne les a pas empêchés non plus de frapper le Royaume-Uni pour sa participation majeure à la coalition internationale anti-Daech.

GS : La lutte contre le fondamentalisme et contre le terrorisme djihadiste est un combat à mener tous ensemble, mais qui doit être conduit avant tout par les musulmans. Qu'on me comprenne bien, aucun musulman n'a à se sentir coupable des crimes commis au nom d'un islam qui n'est pas le sien, mais le combat pour une interprétation pacifique et tolérante de l'islam doit, me semble-t-il, être principalement mené « de l'intérieur ». Il est difficile en effet pour un non-croyant d'expliquer à un croyant le juste sens à donner à ses textes sacrés.

AA : Il y a un problème chez les musulmans, lié à l'absence d'autorité dans l'islam. Les gouvernements manquent donc d'interlocuteurs. Nous n'avons par ailleurs pas besoin de financements étrangers. Nous pouvons constituer des salles de prière en comptant sur les dons des fidèles, ou développer des centres culturels, avec cafétérias, librairies, cours d'arabe afin de subvenir aux charges élémentaires. Au fond, il faut que nous, musulmans, nous nous réappropriions l'organisation de notre culte.

C'est aussi la responsabilité de nos États qui font du commerce avec des pays autoritaires radicaux et rétrogrades comme l'Arabie saoudite. C'est donc un problème d'État à État, où tous les pays puissants fabricants d'armes sont responsables.

GS : Il est évident aussi que l'ingérence militaire des nations occidentales dans le monde arabe et en Afghanistan a fini par se retourner contre nous. Les Américains ont renversé Saddam Hussein en Irak en utilisant un mensonge, les fameuses « armes de destruction massive » dont on n'a jamais trouvé trace. Les interventions en Libye et en Syrie, auxquelles la France a pris part, ont certes été présentées comme un moyen d'éviter le massacre des partisans du Printemps arabe, mais elles obéissaient aussi à des considérations géopolitiques et à la volonté de se débarrasser de régimes qui ne nous convenaient plus. On a par ailleurs laissé le pouvoir en place à Bahreïn écraser sa révolution avec l'aide de l'Arabie saoudite. Et ce « deux poids, deux mesures » nourrit les théories du complot, selon lesquelles le Printemps arabe aurait été manigancé par les chancelleries occidentales. C'est un fantasme, les peuples arabes avaient des raisons de se révolter et les stratèges occidentaux ont plutôt cherché à tirer profit d'une situation qu'ils n'auraient pas pu provoquer seuls. Mais rien n'y fait, le crédit moral de l'Occident est au plus bas dans le monde arabe. L'affaire de la prison d'Abou Ghraïb, la manière dont les prisonniers irakiens ont été humiliés, traînés en laisse par des GI américains, et la relative impunité dont ont bénéficié les coupables, et surtout leurs responsables hiérarchiques, ont laissé des traces durables. Nous n'avons jamais appris à écouter et à comprendre le Moyen-Orient, nous l'avons juste soumis pour notre propre intérêt.

AA : À mon époque, les Frères musulmans étaient les grands radicaux du monde arabe, Al-Qaïda et Daech n'existaient pas encore… Et la fin du Daech actuel n'est hélas pas synonyme de la fin du djihadisme.

GS : Je crains que tu n'aies raison, les causes qui alimentent le djihadisme étant toujours présentes, et pas uniquement en Orient. La situation de nos banlieues, dont ton département, le 93, pour reprendre l'exemple le plus souvent cité, est un véritable problème. L'État semble incapable de proposer un avenir aux jeunes qui vivent dans ces ghettos, sans espoirs ni rêves de vie meilleure, et ces poches de pauvreté, de discrimination, de ségrégation, ont été adroitement instrumentalisées par les radicaux de tout poil depuis des années.

AA : J'ai personnellement vu la dégradation de Drancy. Lorsque nous sommes arrivés en 1989, on voyait peu de filles voilées et celles qui l'étaient portaient un léger voile. Peu à peu, dans le centre-ville, se sont installées des salles de prière clandestines, puis la fameuse mosquée où se rendait Samy. Les pouvoirs publics avaient fait le pari de la mixité dans les immeubles, Français, Arabes et Africains ensemble, mais nous avons vu les Français partir et les cités sont devenues des poudrières.

Aujourd'hui, la jeune génération inquiète. Plus éduquée, elle est aussi plus fière de sa religion : « On ne baisse plus la tête, on ne rase plus les murs, disent les jeunes filles voilées, on est fières de ce que nous sommes. Qui le serait pour nous sinon ? » ; « L'islam ce n'est pas juste dans le cœur, c'est une pratique et des signes visibles. »

GS : Aurais-tu pu quitter Drancy ?

AA : J'aurais pu, nous avons reçu deux propositions pour nous installer dans des immeubles neufs, mais nous n'avons pas réussi à quitter notre appartement. Malgré tout ce que nous y avons vécu, ma femme n'a pas pu franchir le pas. Notre maison est tout ce qu'il lui reste de son fils.

GS : Penses-tu qu'il existe des solutions pour sortir du fondamentalisme et du djihadisme ?

AA : Il faudrait en premier lieu renforcer l'éducation pour des jeunes qui manquent d'entrain et d'espoir. Les écoles sont le lieu de l'apprentissage de la République, il faut pouvoir améliorer la transmission de la culture des professeurs vers les jeunes et vice versa. Les cours d'histoire sont fondamentaux, tout comme l'enseignement des religions.

GS : La religion est présente dans les programmes d'histoire et de philosophie, mais il est vrai que lorsqu'ils enseignent dans des territoires sensibles, beaucoup de professeurs sont confrontés à des difficultés à propos de certains sujets. Ils font face à des réactions violentes ou de rejet chez certains élèves, notamment musulmans. Aborder la religion d'un point de vue historique, et non théologique, y devient compliqué, de la même façon que pour les sciences naturelles sur la reproduction et la théorie de l'évolution.

Il faut aussi une éducation citoyenne ambitieuse : chanter *La Marseillaise* ne suffit pas. Nous devons enseigner aux jeunes le sens critique : il faut savoir remettre en question les politiques, les institutions, mais aussi apprendre la mesure et ne pas se complaire dans l'autodétestation, très répandue en France. Beaucoup de nations ont commis des atrocités, les

États-Unis et les pays arabes ont aussi perpétré l'esclavagisme ; le Royaume-Uni, l'Espagne et le Portugal ont également été colonisateurs. Nous devons regarder notre histoire avec sa part d'ombre, mais nous pouvons aussi être fiers d'un pays qui a donné au monde la Déclaration des droits de l'homme et du citoyen, le pays de Victor Hugo et d'Émile Zola, de Louis Pasteur et de Claude Bernard, du TGV et de la fusée Ariane, un pays où nous avons tant de libertés.

AA : Ma petite-fille, que je ne connais pas, est quelque part en Syrie. J'aimerais la ramener auprès de moi un jour, dans cette France qui a ses qualités et ses défauts, mais qui lui offrirait un cadre de vie et où elle serait en sécurité. Depuis plusieurs mois, j'ai pour projet de retourner en Syrie pour la retrouver, mais c'est encore compliqué.

GS : Nous sommes devenus grands-parents presque au même moment. Ma petite-fille, que j'ai la chance d'avoir à mes côtés, m'a beaucoup aidé à survivre et j'essaie de travailler chaque jour à lui laisser un monde meilleur.

Je te souhaite de tout cœur, Azdyne, de pouvoir ramener un jour ta petite-fille en France à tes côtés. On peut débattre du retour des djihadistes adultes, je suis personnellement favorable au rapatriement de tous les ressortissants français, pour des raisons de justice, de vérité, de respect du droit des victimes, mais aussi de sécurité – les djihadistes doivent être jugés et punis à la mesure de ce qu'ils ont fait –, mais la question du retour des enfants ne devrait pas se poser. Ils sont innocents et nous devrions tout mettre en œuvre pour les ramener, on ne peut pas les abandonner !

Ce n'est pas parce que des enfants ont été maltraités qu'ils deviendront à leur tour maltraitants. Ces enfants ont été endoctrinés, mais ne les condamnons pas d'emblée. Il ne faut pas ignorer les risques, pas plus qu'il ne faut sous-estimer les possibilités de résilience. Les laisser en Syrie est dangereux pour eux, mais aussi pour nous, c'est courir le risque qu'ils reviennent un jour, avec de très mauvaises intentions.

AA : Georges, tes paroles m'encouragent dans mon projet et me redonnent de l'espoir, de la vie.

GS : J'ai eu grand intérêt à dialoguer avec toi, Azdyne, à échanger et faire œuvre commune. Et c'est notre message d'espoir : il nous est possible de parler.

AA : En te contactant, je pensais me heurter à un refus et, aujourd'hui, je ne regrette pas d'avoir franchi le pas. Nous avons avancé ensemble et il faut poursuivre ce chemin, pour nos enfants. Et pour la vie.

Lettre d'Azdyne Amimour à Lola Salines

Lola, chère Lola, très chère Lola,

J'aurais aimé ne pas avoir à t'écrire cette lettre.

Après cette longue conversation avec ton père, je découvre que nous avions bien des choses en commun : la musique, le sport, les voyages, l'Égypte… Je sais le vide que tu laisses autour de toi, pour tes amis et, surtout, pour tes parents. Mon cœur de père le sait.

Tu es partie trop tôt, ta vie t'a été arrachée par une idéologie meurtrière. Ceux qui ont commis ces horreurs n'ont pas servi l'islam ; bien au contraire, ils l'ont souillé. Je me demande pourquoi, sans arriver à trouver de réponses. Ai-je failli à mon rôle de père ? Moi qui croyais donner une bonne éducation à mon fils… Pardon mille fois, Lola.

Ma femme, Mouna, ainsi que mes filles se joignent à moi pour t'exprimer notre immense peine, bien que nos larmes et nos prières ne puissent te ramener. Pas plus que mon fils. Rien ne peut consoler de la perte d'un être cher, mais la vie continue, avec l'espoir que les consciences s'éveillent à la gravité de ce qu'il s'est passé et qu'elles puissent vivre de nouveau dans la fraternité. Nous devons nous battre pour que plus jamais cela ne se reproduise.

L'espoir fait vivre, donc j'espère. J'espère un monde meilleur et c'est ce qui, chaque jour, m'aide à vivre malgré ce terrible poids sur la conscience.

Pardon, Lola, pardonne-nous, pardonne-leur. Tu es dans nos cœurs à jamais. Puisses-tu reposer en paix.

Azdyne Amimour

Lettre de Georges Salines à Samy Amimour

Samy,

« Auriez-vous souhaité rencontrer les assassins de votre fille ? Que leur diriez-vous s'ils étaient en face de vous ? » À plusieurs reprises, des journalistes m'ont posé ce type de questions. J'avais déjà écrit dans mon livre *L'Indicible de A à Z*, pour expliquer mon opposition à la peine de mort que, oui, j'aurais préféré que les terroristes aient pu être « appréhendés, jugés, et envoyés pour de longues années en prison en tête à tête avec le souvenir de leurs crimes. J'aimerais même pouvoir les y rencontrer et leur parler, les yeux dans les yeux, comme le pape Jean-Paul II l'avait fait avec Mehmet Ali Ağca, qui avait tenté de l'assassiner. » Quant à ce que j'aurais dit si cette rencontre avait pu avoir lieu, je peux le résumer en un mot : « Pourquoi ? »

Tu es mort, je ne te rencontrerai jamais, et tu ne pourras jamais répondre à cette interrogation, mais puisque l'occasion m'en est donnée, essayons de remplacer cet impossible face-à-face par une lettre imaginaire.

Samy,

Dès le premier mot, l'exercice est difficile : je ne vais pas te donner du « cher Samy », bien sûr. Je ne vais pas t'appeler « Monsieur », ce serait ridicule, tu as l'âge d'être mon fils. Tu avais d'ailleurs l'âge de ma fille, que tu as tuée, toi ou l'un de tes complices. Je ne vais pas t'apostropher d'une épithète injurieuse comme « Mon salaud » ou « Espèce d'ordure ». Je suis trop poli pour ça, ce n'est pas mon genre, et j'essaie de ne jamais réduire une personne à la somme de ses seuls méfaits. Alors, utilisons ton prénom, c'est plus neutre. Mais c'est d'une douceur qui sonne faux. « Samy », c'est si sympathique. Un diminutif, un « petit nom », comme on disait chez moi. Samy, comme l'artiste Sammy Davis Jr. ; Sam, comme Samantha, la sorcière bien-aimée de mon enfance, comme le capitaine de soirée des pubs de prévention routière, comme mon club de course à pied, la « SAM Paris 12 ». Un prénom très œcuménique en sus : dérivé de Samuel, qui vient de l'hébreu *Shemu'el*, signifiant « son nom est Dieu » ou « voué à Dieu », adopté aux États-Unis à partir du XVIIe siècle par les protestants… et devenu populaire chez les musulmans français de nos jours. La Seine-Saint-Denis, où tu habitais, est d'ailleurs le département de France qui compte le plus de Samy. Et Amimour en plus, « ami », « amour »… Les meurtriers qui peuplent nos cauchemars hollywoodiens s'appellent « Freddy Krueger » ou « Hannibal Lecter », pas « Samy Amimour ».

Samy,

Prétendre t'écrire m'est particulièrement difficile parce que j'ai la conviction que j'écris dans le vide : je ne crois pas à l'immortalité de l'âme, à l'au-delà, au paradis, à l'enfer. Si je la postais, cette lettre reviendrait avec le tampon « NPAI » (« N'habite pas à l'adresse indiquée »). Je n'ai d'ailleurs jamais écrit à Lola après le 13-Novembre, à la différence de nombreux parents endeuillés, dont certains écrivent tous les jours à leur enfant disparu. Je n'ai pas besoin d'écrire à Lola. Elle est là, avec moi, tout le temps, dans un recoin de mon cerveau, mais elle ne peut pas m'entendre. Tu ne le pourras pas non plus, mais puisqu'il s'agit d'une lettre ouverte, elle est en réalité destinée à un public plus large.

Alors, après trois faux départs, allons-y.

Samy,

Pourquoi ? Cette question m'occupe depuis le 13-Novembre : pourquoi toi et tes complices avez commis ces crimes atroces ? Vous avez volé leur vie à des jeunes de votre âge, que vous ne connaissiez pas, vous avez perdu la vôtre dans l'affaire, vous avez plongé dans un cauchemar les parents, les amis de ceux que vous avez tués et les vôtres également, vous avez laissé des blessures indélébiles à ceux qui ont survécu à vos tirs, vous avez sali votre religion aux yeux du monde, vous avez mis en danger tous les musulmans, dont certains l'ont payé de leur vie dans des épisodes abominables de vengeance aveugle. Et tout cela pourquoi ?

Au Bataclan, pendant le massacre, vous expliquiez à vos victimes que c'était une réponse aux bombardements opérés par la France contre l'État islamique. Comment peut-on tuer délibérément des civils innocents pour « riposter » à des opérations militaires ordonnées par des dirigeants politiques ? Si c'est une vengeance, elle se trompe de cible : au Stade de France, sur les terrasses et au Bataclan, il y avait des électeurs de Hollande, des opposants, des indifférents ; des musulmans, des chrétiens et des athées ; des militants de la paix, des partisans de la force et des insouciants… vous n'avez pas fait le tri. Si c'est une stratégie, elle est absurde : les attentats n'ont pas entraîné le retrait des forces françaises en Syrie. Bien au contraire, ils ont justifié l'intervention et contribué dans une large mesure à en assurer la popularité en France. Aujourd'hui, quels que soient les développements de la situation militaire au Moyen-Orient, nous n'en avons pas fini avec le terrorisme djihadiste, dont l'organisation État islamique n'a pas l'exclusivité. Mais ce terrorisme qui persiste n'a pas non plus atteint d'autres buts possibles, « rationnels ». La guerre de religion n'a pas eu lieu, et elle n'aura pas lieu. Depuis 2015, les Français non musulmans sont devenus, en moyenne, plus tolérants vis-à-vis des musulmans. Les musulmans, dans leur immense majorité, rejettent la violence et le terrorisme. Tes copains peuvent continuer à faire couler inutilement le sang et à répandre la douleur, ils ne parviendront pas à leurs fins. Le terrorisme est une tactique qui paie rarement.

Alors, bien sûr, la piste rationnelle n'est sans doute pas la bonne. Si tu pouvais me répondre, sans doute me parlerais-tu plutôt du Coran, de la Sunna, et de la lecture qui t'en a été faite. Tu me dirais que le combat vous a été prescrit par Dieu lui-même. Peut-être me citerais-tu le début du verset 5 de la sourate 9 : « Après que les mois sacrés expirent, tuez les associateurs où que vous les trouviez. Capturez-les, assiégez-les et guettez-les dans toute embuscade[1] », en ignorant le contexte de cette sourate « descendue » alors que le prophète conduisait ses

1. https://coran.oumma.com

combattants à la guerre. Tu négligerais probablement d'en mentionner la fin : « Si ensuite ils se repentent, accomplissent la Salat [la prière] et acquittent la Zakat [l'aumône], alors laissez-leur la voie libre, car Allah pardonne et est miséricordieux. » Pourquoi n'as-tu pas laissé à tes victimes la chance de se repentir ? Et pourquoi ta version de l'islam a-t-elle retenu ce verset, ou d'autres de même acabit, dont la traduction et l'interprétation sont d'ailleurs toujours difficiles ? C'est ignorer tous ceux qui appellent à la tolérance et qui, surtout, invitent les hommes, et même le prophète, à ne pas se substituer à Dieu pour condamner et punir à Sa place. « Il n'incombe au messager que de transmettre (le message) » (5:99) ; « Si Allah voulait, ils ne seraient point associateurs ! Mais Nous ne t'avons pas désigné comme gardien sur eux, et tu n'es pas leur garant » (6:107) ; « Et si l'un des associateurs te demande asile, accorde-le lui, afin qu'il entende la parole d'Allah, puis fais-le parvenir à son lieu de sécurité. Car ce sont des gens qui ne savent pas » (9:6) ; « Si ton Seigneur l'avait voulu, tous ceux qui sont sur la terre auraient cru. Contraindrais-tu les gens à devenir croyants, (ô Mohammed) ? » (10:99).

Je ne suis pas musulman, je ne suis pas islamologue, je ne suis même pas croyant. Je ne vais pas t'expliquer quelle est la bonne version de l'islam d'un point de vue théologique. Ce que je sais, en tant qu'être humain, c'est qu'il y a des croyants dans toutes les religions, y compris l'islam, qui comprennent le message de Dieu comme une injonction à faire le bien, à aimer son prochain, à se comporter décemment. Qui savent aussi respecter le doute, l'erreur, l'hésitation… Et, dans toutes les religions, on trouve ceux qui vont chercher dans le texte sacré ou dans l'enseignement de leurs prédicateurs la justification de leur intolérance et de leur violence.

Samy, pourquoi as-tu fait le mauvais choix ?

Ton père dit qu'il avait, lui, tout pour mal tourner alors que ce n'était pas le cas pour toi. Il veut dire par là qu'il a eu une vie dure, en particulier dans son enfance et sa jeunesse, et qu'il a été confronté à l'injustice et à la discrimination, en particulier de la part du pouvoir colonial français. Toi, à l'opposé, tu as été un enfant choyé, entouré de l'affection des tiens et bénéficiant d'un environnement favorable sur le plan matériel et culturel. Je crains que ces deux constatations, pour vraies qu'elles soient, ne nous soient pas d'un grand secours pour expliquer ce qu'il s'est passé : la radicalisation ne résulte pas mécaniquement de la misère matérielle ni même de l'injustice. Et le cher Azdyne n'avait aucun risque de devenir terroriste : il aime beaucoup trop la vie, il n'a aucun esprit sectaire.

Mais est-il malgré tout possible que ta dérive terroriste ait quelque chose à voir avec ce père si attachant, si séduisant, dont la vie, bien plus que la mienne, est un roman ? Sa personnalité a des traits particuliers : son système de valeurs fait peu de place au respect des règles. Quand il s'agit d'arriver à ses fins, il n'hésite pas à prendre quelques raccourcis. Il m'a raconté qu'au fil de ses aventures, il lui est arrivé de fabriquer un faux diplôme du bac pour essayer d'entrer en faculté de médecine ou de vivre au crochet de femmes. Bien qu'il soit un homme de culture, culture acquise en autodidacte, ce qui est assez remarquable, et bien qu'il ne soit pas un homme d'argent, ce qui est tout à son honneur, il accorde une importance aux apparences matérielles de la réussite. S'il a un temps eu des sympathies communistes, c'est plus par admiration pour la « réussite » individuelle de Georges Marchais, ancien ouvrier devenu homme politique de premier plan, que par adhésion idéologique.

Tu étais un enfant sage. Tu acquiesçais à tout (au point que tes cousins algériens t'avaient surnommé « Oui »). Tu aimais sans doute beaucoup ton père. Tu l'admirais probablement, et tu n'étais donc pas susceptible de t'opposer frontalement à lui. Mais à l'adolescence, à cet âge où l'on a souvent une exigence très forte d'absolu, où l'on ne comprend pas les nuances, où l'on n'accepte pas l'imperfection du monde, je soupçonne que tu ne pouvais guère faire tienne, à l'identique, sa manière de concevoir la morale. Peut-être en as-tu tiré une leçon qu'il ne voulait certainement pas transmettre : on a le droit de transgresser les interdits si c'est pour lutter contre « le système », la société, les oppresseurs, les méchants, les kouffar.

Tu as alors placé ta révolte là où tes parents n'étaient pas en position de force : la religion. Azdyne et Mouna sont musulmans, par héritage familial, et ils sont modérés dans leur pratique comme dans leur foi. Ce n'est pas le centre de leurs préoccupations. Toi, tu es devenu un « surmusulman », selon l'expression du psychanalyste Fethi Benslama. En adoptant une version extrême de ta religion, tu t'es placé dans une position de supériorité vis-à-vis de tous : les profs, les flics, la morale, les parents. Surtout peut-être les parents, qui n'avaient pas suffisamment réfléchi à la religion pour te répondre efficacement sur ce terrain.

C'est une interprétation possible de ton cheminement, une parmi d'autres. Quelle influence a exercée Kahina, celle que tu as épousée, la mère de cette enfant qui grandira sans te connaître ? En France, t'es-tu senti rejeté du fait de tes origines ? Qu'as-tu vécu lors de tes vacances en Algérie, que ton père décrit comme idylliques ? La perméabilité familiale aux théories du complot a-t-elle altéré ton bon sens ? As-tu été déçu de ne pas réussir à décrocher un diplôme universitaire, puis un métier correspondant à tes goûts et satisfaisant les ambitions parentales ?

Je n'ai aucune certitude et je n'en aurai sans doute jamais. J'ai lu les livres des psychologues, des sociologues, des politologues, des islamologues. J'ai assisté à des congrès. J'ai questionné et écouté. J'ai appris des tas de choses sur les différents facteurs qui peuvent favoriser la transformation d'un jeune en terroriste. Mais pour ce qui te concerne, Samy, en tant qu'individu singulier et non pas djihadiste générique, je ne sais toujours pas ce qu'il t'est arrivé. Étant donné que tu ne peux ni me lire ni me répondre, je ne le saurai sans doute jamais.

Dans le beau film d'André Téchiné, *L'Adieu à la nuit*, un des personnages, Lila, prépare son départ pour le djihad avec son ami Alex. En attendant, elle travaille dans un établissement d'hébergement pour personnes âgées dépendantes, où elle prend soin de ses patients avec tout l'amour et le respect que son système de croyances devrait lui interdire d'accorder à des mécréants. Tu étais toi aussi un gentil garçon, apprécié de tous, qui aimait particulièrement son chat. Et puis tu as commis les atrocités que la Lila du film aspire à commettre. L'être humain est bien opaque.

Il est d'usage de terminer une lettre en souhaitant les meilleures choses au destinataire. Mais que peut-on souhaiter à un mort, surtout si on n'est pas nécessairement très enclin à lui vouloir du bien ? J'imagine que tu pensais gagner le paradis, selon les promesses de la sourate 3 : « Ne pense pas que ceux qui ont été tués dans le sentier d'Allah soient morts. Au contraire, ils sont vivants, auprès de leur Seigneur, bien pourvus » (3:169) ; « Qu'ils combattent donc dans le sentier d'Allah, ceux qui troquent la vie présente contre la vie future. Et quiconque combat dans le sentier d'Allah, tué ou vainqueur, nous lui donnerons bientôt une énorme récompense » (4:74). Je doute fort que tu l'aies gagnée. Bien sûr je ne crois pas à la vie future, et je ne pense donc pas que tu sois nulle part. Supposons cependant pour un instant que j'aie tort et que la révélation soit la vérité. Ce que tu pensais être « le sentier d'Allah » me paraît être une voie diabolique condamnée par le Coran qui n'est pas spécialement tolérant avec le meurtre d'innocents, comme le rappelle le verset 32 de la sourate 5 : « Quiconque tuerait une personne non coupable d'un meurtre ou d'une corruption sur la terre, c'est comme s'il avait tué tous les hommes. » Si c'est l'islam « mainstream » qui a raison, c'est donc l'enfer qui t'attend, et je ne te le souhaite pas. Je ne le veux d'ailleurs pour personne, sans compter qu'en tant que mécréant, j'aurais quelques soucis à me faire…

Samy, dans ton intérêt comme dans le mien, j'espère avoir raison : nous sommes des poussières d'étoiles, nous avons eu la chance extraordinaire d'avoir été vivants sur cette petite planète bleue. Notre vie ici-bas était celle qui comptait parce qu'il n'y en a pas d'autres. Je regrette pour toi que tu ne l'aies pas su et que tu aies fait tant de mal en poursuivant une chimère. Tu es désormais hors d'atteinte de mes vœux. C'est donc à tes parents, à tes sœurs, à tes amis que je souhaite de pouvoir se réconcilier avec ton souvenir et de poursuivre leur chemin en paix.

Georges Salines

Table des matières

Composition réalisée
par Rosa Beaumont

Imprimé en France par CPI
en novembre 2021

L'Éditeur de cet ouvrage s'engage
pour la préservation de son environnement
et utilise du papier issu de forêts gérées de manière responsable.

N° d'édition : 63471/12
N° d'impression : 167324